Ver van huis

Ouida Sebestyen

Ver van huis

Amsterdam

Em. Querido's Uitgeverij B.V.

1983

Oorspronkelijke titel: *Far from home (An Atlantic Monthly Press Book*, Little, Brown and Company, Boston Toronto, 1980).
Vertaling: Jo Fiedeldij Dop.

ISBN 90 214 8173 1

voor Corbin

1

Toen de zwarte zoldering waar hij zo lang naar had liggen staren grijs werd en het, of hij eraan toe was of niet, morgen werd, stond Salty Yeager op in de overal waarin hij had geslapen en zocht hij tastend over de keukenplank naar een ontbijt. In een doos zaten vijf crackers. Twee en een halve schrokte hij naar binnen. Twee en een halve liet hij op een blikken bordje liggen voor zijn overgrootmoeder die in de andere kamer langzaam ademend lag te snurken. Hij dronk zo veel water als hij opkon om zijn maag de illusie van voldaanheid te geven.

Buiten hing de heide zwaar van de dauw. Hij repte zich op blote voeten over een koud zandpaadje naar de oever van de rivier. In een verzonken ton, die opving wat uit een langzame bron sijpelde, putte hij voor ma een verse emmer water die ze kon gebruiken als hij weg was.

Een grote ganzerik begon te snateren toen Salty weer het erf op kwam en rende roeiend met zijn benige vleugels op voeten als vliegemeppers naar hem toe. Salty hurkte neer, streelde zijn witte tafzijden rug en probeerde hem tot zwijgen te brengen opdat ma niet wakker zou worden. Eerst keek het ene blauwe oog en toen het andere hem vol liefde aan. Plotseling stak de ganzerik zijn kop in de emmer; hij spetterde vergenoegd in het water rond en nam een slok.

'Laat dat, Tollybosky,' fluisterde Salty, te laat de sterke slangehals van de ganzerik grijpend. Tollybosky beet de top van een van ma's petunia's af die in een koffiebus stonden te bloeien en liet hem vallen. Salty rukte hem achteruit. 'Gedraag je behoorlijk! Van nu af aan kun je zulke streken niet meer uithalen – anders word je nog gebraden en opgegeten.'

De ganzerik sloeg naar hem met de harde elleboog van zijn vleugel, maar Salty hield zijn hals op een afstand en beantwoordde zijn eenogige blik met een frons. Die malle oude vogel wist niet wat hij bedoelde. Veranderingen, zorgen, niets van dat alles betekende iets voor hem. Ganzen waren misschien wel goed af. Hij bracht het water naar de keuken en sloeg er het witte dons af dat erop dreef.

In de stilte keek hij voor de laatste maal om zich heen. Hij zou terugkomen, maar dan zou hij weten of ze hem wilden nemen. Ze móésten hem nemen. Wat zijn mamma had gedaan kon hij ook en haar hadden ze genomen. Ze hadden haar vijftien jaar gehouden. Dus, tot ziens.

Toen hij naar buiten ging, zei een stem in de andere kamer: 'Salty, doe je schoenen aan.'

Hij zuchtte en liep naar de deur. Zijn overgrootmoeder zat op de rand van haar bed en draaide haar witte vlecht tot een knoetje boven op haar hoofd. Het slappe vel van haar opgeheven armen beefde als een bleek ding onder water.

'Hoe wist u dat ik wegging?' vroeg hij.

'Gisteravond begreep ik dat je ertoe had besloten.' Haar stem had de zachte, taaie kracht van een wortel die rotsen kan doen splijten. 'Moge God je liefhebben, mijn jongen. Ik weet dat je het voor mij doet. Ik wou echt dat het niet nodig was.'

Hij begreep niet hoe God hem kon liefhebben en het zo ver met hem kon laten komen. Hij haalde zijn schouders op. 'Ik wou ook dat het niet nodig was, maar het moet. Er is niets meer.' Om te eten, bedoelde hij. Om op te hopen. Om te proberen.

'Verkoop een van mijn oliebronnen,' zei ma terwijl ze met haar trage blote voeten naar haar schoenen zocht. 'Mijn op een na mooiste diamant.' Ze hield hem voor de gek. Misschien om hem duidelijk te maken dat het haar speet dat ze hem de antwoorden onthield die ze niet kon geven. 'Wat van die zilveren dollars hier die bulten maken in mijn matras.' Ze lachte en vergat dat haar tanden al tegen hem lachten in een glas water op de stoel naast haar bed. Hij trachtte terug te lachen, hoewel hij niet zeker wist of ze in de schemering zo ver kon zien, maar zijn mondhoeken begonnen te trillen zoals vroeger toen hij nog jong genoeg was om te gaan huilen.

'Het zal best gaan,' hield hij haar voor. Hield hij zichzelf voor, zoals hij de hele tijd in het donker had gedaan. 'Ik ga immers hetzelfde doen als mijn mamma heeft gedaan? Het zal niet veel anders zijn of zij daar woonde en voor ons de kost verdiende of ik.'

'Het zal wel anders zijn,' zei ma.

'Misschien niet. Ze zijn vast aardig. Ze was er gelukkig. Haar gezicht stond vrolijk als ze thuiskwam. Er komt geld vandaan. Eten. Ze zijn vast aardig.' Hij gaf het op, uitgeblust. Bang.

Ma leunde achterover tegen de twee donzen kussens die zij en overgrootpa naar Texas hadden meegebracht. Haar glimlach stierf weg. 'M'n jongen, je moet niet zo piekeren, je wordt er nog ziek van. Ga gewoon doen wat je moet doen.'

Zijn vingers gleden over het borstzakje van zijn overal waar het briefje was dat zachtjes knisterde als een beginnend vuurtje.

Ze zei: 'Ik wou zielsgraag dat ik kon helpen in plaats van een zorg te zijn. Je mag niet gebukt gaan onder lasten die groter zijn dan je zelf bent.'

'Ik ga er niet onder gebukt,' verzekerde hij haar. 'U hebt voor mij gezorgd en nu ga ik voor u zorgen, dat is alles. Ik ben groot zat.' Dat was hij voor zijn dertien jaren, te groot zelfs, behalve wat zijn verstand betrof.

'Dat ben je ook,' zei ma op haar kalme toon. 'Je bent een flinke, grote jongen. Je mamma zou trots op je zijn. Ik ben het.'

Hij wachtte. Ten slotte zei hij: 'Hebt u me niets meer te zeggen?'

'Nee, mijn jongen.' Haar hand wuifde hem met een treurig gebaar uit.

Hij liet Tollybosky gakkerend bij het hek achter en nam de kortste weg door de hei. Bij de eerste bebouwde akker boog hij af en nu liep hij langs de rand van rijp koren dat zwaar hing van de junihitte. Het veld welfde zich als een uitgestrekte reusachtige klauw die krabde aan het schamele huis en de ongerepte oever van de rivier waar hij zijn leven had doorgebracht.

Hij bleef staan en keek om. Hij wist dat hij zich nu schrap

moest zetten en tegen God moest zeggen, u hebt genoeg genomen. Mijn mamma en mijn thuis is genoeg. Maar zijn gedachten sprongen als een grammofoonnaald in een uitgesleten groef: ze móésten hem nemen, ook al verloor hij het laatste dat hij nog te verliezen had – zijn trots.

De eerste drie kilometer liep hij tussen de korenvelden. Toen begonnen de huizen. Eerst de boerderij waar hij mest had gekruid totdat ze een volwaardige kracht hadden aangenomen. Daarna andere, met twee verdiepingen en dicht opeengedrongen in de wijde golvende ruimte, omdat de mensen die ze gebouwd hadden naar het noorden van Texas waren gekomen vanuit streken waar het land klein was. Gezinnen aan het ontbijt keken naar buiten toen hij, zijn schoenen zwaaiend aan hun veters, voorbijkwam.

Toen hij moeizaam een helling op liep, stond de watertoren van Wickwire op zijn drie poten in de zon. De fluit van de olieslagerij gilde. Het geluid drong als een scherpe boor door de muur die hij om zijn herinneringen had opgetrokken. Hij keek opzij in de verwachting dat hij zijn mamma, op haar speciale manier zwijgend, zou zien lachen terwijl ze van iedere hand drie vingers opstak om hem te zeggen hoe laat het was.

Zijn adem ging zwaar. Zijn voeten zwoegden, ze repten zich steeds sneller totdat hij bijna rende. Naast hem, achter het puntige hek van het Mount Zion kerkhof, stonden lange schaduwen van grafstenen gebogen over de graven. Ze strekten hun armen uit om hem in hun mysteriën binnen te halen, zoals ze zijn mamma hadden binnengehaald. Zijn ogen keken snel een andere kant uit. Zoals altijd was ze er, en ook weer niet, in de hoek met de doornstruiken, waar de marmeren stenen ophielden en kleine blikken naamplaatjes schots en scheef naast elkaar stonden. Hij bleef hijgend op de weg staan en nam de plek recht in het oog. *Wees niet bedroefd* had ma tegen hem gezegd toen ze die dag daar in de natte februarisneeuw stonden. *Ze is nu bij de Heer. Ze kan praten. En zingen. En lachen. Wees blij voor haar.*

Hij had het geprobeerd. Hij was blij geweest voor zijn mamma. Maar wat hemzelf betrof – hij was in stilte zo diep bedroefd geweest dat hij bang was dat hij haar zingende ziel opnieuw met stomheid zou treffen.

Ze liet hem altijd tot aan de rand van Wickwire meelopen en daar keek hij haar dan na terwijl ze stevig doorstapte naar het hart van de stad en verdween. Daar aan de rand schudde ze altijd haar hoofd. Toen hij klein was, dacht hij dat het zoiets als een gevangenis of een ziekenhuis was waar ze heen ging, iets dat haar op zondag vrij gaf om bij hem te kunnen zijn. Maar ma legde uit wat ze deed en waarom ze er 's nachts bleef, om vroeg het ontbijt klaar te maken en om bij de hand te zijn als er 's nachts iemand ziek werd. Soms, in tijden dat het niet druk was, kwam ze in de week een nacht thuis. Hij hoorde in de verte de auto in het donker op de weg stoppen en dan vloog hij haar door de hei tegemoet als de lichten van de auto verdwenen en ze langs het korenveld naderde. Hij pakte haar handen, ook al werd zijn vreugde verduisterd door de gedachte dat ze hem de volgende morgen vroeg weer aan de rand van de stad zou verlaten.

Natuurlijk, toen hij ouder werd volgde hij haar stiekem naar de andere kant van Wickwire waar ze werkte en bleef hij op een afstand staan kijken hoe ze omliep naar de achterdeur. Maar altijd, zelfs wanneer hij naar school ging of boodschappen deed of de bioscoop in glipte, gaf de stad hem het gevoel dat hij zich op verboden terrein begaf. Zelfs nu, terwijl hij langs het bord liep met het opschrift GEMEENTEGRENS, AANT. INW. 6003, MAX. SNELHEID 30, DENK AAN ONZE KINDEREN, voelde hij hoe zijn mamma haar hoofd schudde.

Toch waren het haar woorden op het briefje dat hij bij zich had, die hem hadden bevolen. Tien woorden hadden de kracht om zijn leven te veranderen.

Opeens stonden er bomen langs de weg die schaduw wierpen op huizen en gesproeid gras. Natte rozen en kamperfoelie hingen zo zwaar alsof het westen en het zuiden zich aan de rand van de stad hadden verenigd. De vreemde, warme sneeuw van populierepluizen viel om hem heen.

Op een open terrein doemde de watertoren op. Jongens die in mei eindexamen hadden gedaan van de middelbare school waren op een avond naar boven geklommen en hadden over de hele breedte met rode verf SENIOREN 1929 geschilderd. Niet iets was hij ooit zou doen, dacht hij. Eindexamen.

Huizen maakten plaats voor winkels. Hij ging opzij voor de winkeliers die het stof van hun trottoirs naar de brede stille straat veegden. Op de bioscoop hingen nog aanplakbiljetten van Tom Mix en zijn wonderpaard Tony. Hij was er bijna binnen gekomen om die film te zien, maar de portier was hem te vlug af geweest.

Een nieuw Model A, het vorige jaar net uitgekomen, stond voor het Majestic Hotel. Hij liet zijn vingers met evenveel respect over het glanzende spatbord gaan als waarmee hij de woorden onder de afbeeldingen van auto's natrok in de tijdschriften die zijn moeder meebracht van haar werk. De deur van het hotel ging open en de geur van gebakken ham en koffie trof hem als een vuistslag in zijn maag. Een portier die naar buiten kwam om het zonnescherm te laten zakken zei: 'Hé daar. Donder op.'

Salty trok zijn hand zo onverschillig mogelijk terug en liet alleen zijn elleboog langs de auto glijden. Een jongen van ongeveer zijn leeftijd, die met zijn vader uit het hotel kwam om in dat glanzende ding te stappen en weg te rijden, keek langs hem heen en geeuwde. Juist toen Salty, hem onwillekeurig naäpend, ook geeuwde, hoorde hij de knarsende voetstappen van de portier en schoot hij de hoek om.

Hij had de straat met de bakkerij uitgekozen. Hij maakte plotseling op de plaats rust en deed zich te goed aan de geur van warm brood. Terwijl hij stond te staren naar de taarten op hun papieren kleedjes voor het raam, kreeg hij het spiegelbeeld van zijn eigen gezicht in het oog, vervormd tot een langgerekte karikatuur met een grote mond en een bruine ragebol bovenop. Zijn kuif wees vooruit als de neus van een staande jachthond. Hij sloeg hem plat. Schiet op, beval het spiegelbeeld. Je staat hier maar, omdat je helemaal geen zin hebt om daar naar toe te gaan.

Hij ging op de treeplank van de bestelauto van bakkerij Feeney zitten om zijn schoenen aan te trekken en beende langs het centrum van de stad naar de onaanzienlijke buitenkant met kleine bedrijfjes en vervallen huizen. Hij wist waar hij naar uit moest kijken: een groot huis, grijs, met twee verdiepingen en aan de voorkant een lange, dubbele veranda die schuilging achter de wingerd. Maar toen hij het eindelijk zag, van dichtbij, brak het koude zweet hem uit en dat kwam niet van het harde lopen.

Het was zielig oud, als een deftige schooier die nog steeds denkt dat hij iemand is. Hij wou dat het er welvarend en indrukwekkend uitzag. Want zoals het nu was, vond hij het een akelige gedachte dat zijn mamma de laatste helft van haar leven binnen deze muren had doorgebracht.

Iemand had het grasveld al gesproeid. Salty liep door het natte gras langs een bord waarop kortgeleden met de hand *Kamers voor toeristen* was geschreven. Boven de treden naar de veranda hing het andere bord waarvan hij al wist dat hij het zou zien. Krullerige, overdreven letters vormden de statige en verbleekte woorden, THE BUCKLEY ARMS. Waarom zouden de eigenaars zich schamen, vroeg hij zich af, om ronduit 'Kamers met pension' te zeggen of toe te geven dat ze een kosthuis dreven?

Ergens vandaan zei een stem fluisterend: 'Wil je me een plezier doen?' Salty verstijfde, maar hij kwam met een schok weer in beweging om te zien waar het geluid vandaan kwam. Een man in hemd en broek leunde over de balustrade van de bovenste veranda en wees door de wingerd omlaag naar de grond. 'Ik heb mijn neus laten vallen.'

Salty's mond viel langzaam open. De man had al een roze, door de zon verbrande neus boven een jongensachtige grijns. Hij had ook veel te grote valse rubber oren en een rode pruik die halverwege de explosie stijf overeind was blijven staan. Zijn linkerarm was gebogen en verbonden en hing in een doek die om zijn nek was geknoopt.

Toen hij zijn blik kon losrukken, bukte Salty en boog de riddersporen uiteen. Onzeker hield hij een celluloid neus omhoog die vastzat aan een namaakbril.

'Als je eens in het want klom?' fluisterde de man. 'Ik zou me wel laten zakken, maar...' Hij klopte op zijn gespalkte arm.

Salty hees zich aan het gekruiste latwerk op totdat hun handen elkaar raakten. In plaats van de neus aan te pakken greep de jonge man Salty's pols en hielp hij hem over de balustrade. De mooiste vrouw die Salty ooit van dichtbij had gezien lag op een matras op de vloer van de veranda te slapen. Haar zwarte haren golfden over het kussen en de rest van haar golfde onder de deken, maar haar gesloten ogen lieten haar gezicht onvoltooid.

'Wil je me helpen dit stomme ding op te zetten?' fluisterde de man. 'Het is net gisteren met de post gekomen.' Hij volgde Salty's blik. 'Als ze wakker wordt, zal ze een heel vreemde, piekfijne heer naast zich zien liggen.' Met zijn goede hand trachtte hij het brilmontuur achter zijn rubber oren te steken. 'O, tussen twee haakjes, je hoeft niemand te vertellen dat we de matras hier buiten leggen wanneer het binnen te warm is, hoor.'

Een van zijn oren viel eraf. Salty bracht het weer op zijn plaats en trok de pruik eromheen recht. Ze grinnikten tegen elkaar.

Opeens deed een opwelling van hoop Salty's vingers tintelen. Hij haalde het briefje uit zijn borstzakje en vouwde het open. De kinderlijke hanepoten die zijn mamma op die laatste dag in het ziekenhuis had geschreven vormden onvast twee korte regels:

GA NAAR TOM BUCKLEY HIJ ZAL JE OPNEMEN
HOU VAN HEM

Hij reikte het papier aan. De man las, keek hem aan en las opnieuw. Hij kreeg een kleur. Hij duwde beduusd het briefje in Salty's handen terug. 'Luister, ik ben niet die je zoekt – dit is niet voor mij.'

'Bent u niet meneer Buckley?' fluisterde Salty en de moed zonk hem in de schoenen.

'McCaslin,' fluisterde de man terug. 'Hardy McCaslin.' Hij wist blijkbaar niet of hij in hun gezamenlijke verwarring moest lachen of niet. 'Die mooie dame die daar ligt te slapen is mijn vrouw. Mijn Rose Ann.' Ze keken naar haar, door verlegenheid bevangen. Haar oogleden trilden, alsof ze ver weg was in haar droom, in het verleden of in het duister, en een uitweg zocht uit een oord vol geluiden en gevaren. 'Zo,' zei hij ten slotte, 'je weet nu wie ík ben. Wie ben jij?'

'Salty. Yeager. Salty Yeager.'

De piekfijne heer stak zijn hand uit. Salty aarzelde even en nam hem toen aan. 'Je moet Tom hebben,' zei Hardy McCaslin en hij wees naar beneden. 'Achterom.' Hij hielp Salty over de balustrade en op weg omlaag door de wirwar van de wingerd.

Toen zijn voeten de grond raakten, hoorde Salty de stem van Hardy McCaslin zonder te fluisteren zeggen: 'Goedemorgen, mevrouw. Is dit bed bezet?' De mooie dame gilde. Toen dwarrelden lachjes en protesten en kleine kozewoordjes als bladeren op hem neer terwijl ze boven verborgen lagen in de vroege zon.

2

Salty liep om naar de zijkant van het huis en leunde tegen de muur terwijl hij zijn zweterige handen afveegde aan het bovenstuk van zijn overal waar het briefje kraakte. Woorden begonnen weer door zijn hoofd te spelen. Neem me gewoon. Dat is alles. Hou van me als je kunt. Wees net zo aardig als die kerel boven op de veranda.

Hij liep om naar de horredeur. Iemand hoestte. In de keuken stond een dikke vrouw voor een groot zwart fornuis aardappels te bakken. Achter haar stond een schaal met een hoge piramide koekjes. Zijn maag kneep zich weer samen. Toen hij zijn hand ophief om te kloppen, zag ze hem.

'Tom,' zei ze.

Een grote man in onderhemd kwam naar de deur, met een scheermes in zijn hand en zeep op zijn gezicht. Zijn bretels hingen over zijn broek omlaag. 'Wat wil je?' vroeg hij geprikkeld.

Salty's hart begon hevig te kloppen en hij voelde de neiging opkomen om ervandoor te gaan. Het gezicht dat hij zag deed hem erger schrikken dan de wonderlijke figuur van Hardy McCaslin. Net als het huis was het ouder dan hij had verwacht, dan hij had gehoopt. Hij vermande zich.

'Meneer Buckley? Ik ben Salty.'

Het ingezeepte gezicht keek op hem neer. In de lange stilte kwam de vrouw, haar handen afvegend, naast haar man staan.

'Ik ben Salty Yeager,' zei hij tegen haar. 'Ik ben de zoon van Dovie.'

'Bewaarme,' zei ze zacht. 'Dovie? Onze Dovie?' Ze bekeek hem van top tot teen. 'Tom, hij is de zoon van Dovie.'

Tom Buckley's gezicht wendde zich half af, een clownsgezicht met zijn bakkebaarden van zeep. 'Je piepers branden aan,' zei hij.

Ze vloog op lichte voeten terug naar het fornuis en haalde de pan eraf.

'Nou,' zei Tom Buckley. 'Wat kunnen we voor je doen?'

De vrouw was weer terug. 'Tom, ik kan het gewoon niet geloven. Dovie had een zoon. Dat heeft ze nooit gezegd – Nou ja, natuurlijk heeft ze het nooit gezégd! Maar lieve hemel. Kom binnen – Salty, zei je?' Haar gezicht werd plotseling ernstig. 'Het was een hele schok, ook voor ons. Ellendig gewoon. Ik bedoel, na al die jaren bij ons. We hielden van haar als van een van ons. En dan ineens dat.'

'Ja, mevrouw,' zei Salty die haar woorden langs zich af liet glijden als regen van Tollybosky's rug.

'We hoorden er pas van toen we thuiskwamen van de bruiloft van mijn nicht, anders zouden we naar de begrafenis zijn gegaan en zo. En daarna deed Tom de hele maand februari zijn best om longontsteking te krijgen.'

Tom schraapte zijn schorre keel. 'Je woont bij je grootmoeder, neem ik aan.'

'Ze is mijn overgrootmoeder,' zei Salty met een opwelling van achterdocht. Werd hij aan de tand gevoeld? 'Waar we altijd gewoond hebben.'

Tom Buckley keerde terug naar een spiegel aan de keukenmuur. Langzaam bracht hij het scheermes in positie en schraapte hij een lik schuim van zijn lange, strakgespannen kaak.

'Is dat ergens in het westen aan de andere kant van de stad?' De vrouw wees vaag naar het zuiden want ze hoorde niet tot het soort dat een aangeboren richtinggevoel heeft. 'Tom reed Dovie wel eens naar huis als het slecht weer was, maar ik...' Ze zweeg en keek naar Tom die zich stond te scheren.

'Buiten de stad, bij het kruispunt,' zei Tom tegen haar. 'In de buurt waar vroeger de oude brug was.'

'Zo ver? Tjé. Omdat je niet met haar práten kon, weet je. Er zijn zo veel dingen die ik gewoon nooit...' Ze schepte een berg gouden aardappels in een tweede schaal.

Tom zei: 'Babe, schat, als je even je mond zou willen houden, kunnen we hem vragen of hij soms iets nodig heeft.'

'Ik zoek werk,' zei Salty. Hij had zo veel manieren geoefend om het te zeggen dat het er allemaal in een stortvloed van woorden uit kwam. 'Ik wil voor u komen werken net als mijn mamma heeft gedaan, ik wil haar plaats innemen en hier wonen, mijn kost verdienen – u hoeft me niet te betalen. Ik kan alles doen wat zij deed, ik deed het thuis als ze hier werkte, ik kan bonen koken en drie-in-de-pan bakken en kleren wassen. Ik moet hier komen. Ik heb naar werk gezocht maar niemand wilde me hebben. Daarom moet ik wel hier komen.'

Halverwege de woordenvloed hield Toms scheermes stil. Daarna schraapte het bedachtzaam over de stoppels op zijn hals. Salty bekeek onderzoekend hun gezichten, het hare dat hem rechtstreeks aanstaarde en dat van Tom in de spiegel, om te zien of hij in hun ogen toestemming kon ontdekken.

'Uitgesloten,' zei het gezicht in de spiegel.

Zijn vrouw zei: 'O, Tom, een ogenblikje.' Onbewust stak ze haar kin omhoog en spande ze haar wang net als hij deed bij het scheren. 'Laten we er even over nadenken. Sedert Dovie is gestorven...'

'Nee,' zei hij.

'Maar Tom, sedert Dovie is gestorven hebben we te weinig hulp. Al dat werk op het dak dat je moet doen. Je weet wat de dokter heeft gezegd. En die jongen hier. Ik weet het niet. Zouden we het niet kunnen proberen? Ter wille van Dovie?'

'Nee, dat zou niet kunnen,' zei Tom. 'Nee, het kan niet.'

Salty zei: 'Ik wou het ook niet. Ma en ik, we dachten het te kunnen redden, maar het gaat niet, zo zit dat, anders had ik u niet lastig gevallen.'

'Tom,' zei de vrouw. 'Waarom niet?'

Bij wijze van antwoord maakte hij een handdoek nat die hij tegen zijn gezicht hield om de laatste zeepspatjes uit zijn strakke mondhoeken te drukken. Toen hij de handdoek liet zakken, verloor Salty de moed. Toms koude, bedachtzame uitdrukking was niet waarnaar hij hunkerend had uitgekeken.

'We hebben hier in huis meer hulp nodig,' zei de vrouw scherp. 'Tom, het is zomer en je bent nog niet helemaal op krachten. Ik kan niet alles doen.' Hij richtte zijn harde ogen op haar. 'Ik bedoel, je wilt te veel doen en vergt te veel...' Onder zijn ijzige blik bestierven de woorden op haar lippen. Ze ging terug naar het fornuis en brak acht eieren in de pan. Ze nam er nog twee. 'Salty?'

Hij slikte hard en zei: 'Nee, mevrouw. Ik heb thuis gegeten.'

'Je begrijpt het niet,' zei Tom. 'Hij bedoelt ook zijn overgrootmoeder. Om hier te wonen. Dat is wat hij vraagt.'

Ze dacht erover na. 'Nou, en?'

'Overweeg het, Babe. Voordat je er te vlug op ingaat.'

'Ik wil ook voor de kost van ma werken,' zei Salty vlug. 'Het is niet mijn bedoeling om aan iemand verplichtingen te hebben. Vooral niet aan u.'

Tom streek voor de spiegel zijn dunne haar glad. 'Je manieren zijn niet al te best, moet ik zeggen.'

Salty's gezicht gloeide. Alles wat hij probeerde te zeggen kwam er verkeerd uit. 'Ik bedoelde alleen maar omdat u goed voor mijn mamma bent geweest.'

Toms ogen keken hem vluchtig aan. Toen zei hij bedachtzaam tegen de spiegel, alsof hij zich moest oefenen in het houden van een toespraak: 'Je moeder was de beste hulp die we ooit hebben gehad. We missen haar. We betreuren al deze veranderingen. Maar we zijn niet verantwoordelijk voor jou of een oude dame die we nog nooit hebben gezien, alleen omdat je moeder onze vloeren heeft geschrobd.'

'Tom!' zei de vrouw. 'Bewaarme. Zoiets mag je niet zeggen.'

'Zijn we dat?'

'Zijn we wat? Verantwoordelijk?' Ze keek verbaasd. 'Wat heeft dat ermee te maken?'

'Alles!' zei hij op een toon zo scherp als een scheermes. 'Zijn we dat?' Boos spreidde hij zijn handen uit. 'Babe, wat wil je?'

'Gewoon, waarom proberen we het niet, dat is alles. We hebben erover gepraat wie ons zou kunnen helpen en dan komt hij aanzetten, als een teken van de hemel. De zoon van Dovie...'

Zonder waarschuwing schoot Toms knokige hand uit en

sloeg haar op de wang. Ze viel achterwaarts tegen het fornuis, schoot onmiddellijk weer naar voren en drukte haar handen tegen de pijnlijke plekken.

'O, God,' zei Tom. Salty zag de harde lijnen van zijn mond wegsmelten waardoor hij helemaal veranderde. Zijn veranderde stem zei: 'Babe, je weet dat ik dit nog nooit heb gedaan. Babe, ik weet niet wat er is gebeurd.' Hij trachtte haar in zijn armen te sluiten, boog zijn arm om haar heen om haar geschroeide zitvlak te wrijven, maar ze deinsde achteruit, nog steeds verdoofd. 'Babe!' smeekte hij. 'Lieveling, ik ben gewoon doodop. Ik heb vannacht niet geslapen, gisteren was er weer een aanmaning van de belasting en ik kon niet–ik lag daar maar en nu laat ik jou ervoor boeten.' Zijn handen zochten aarzelend de hare in een poging om haar terug te halen naar het moment voordat hij haar had geslagen. Voor Salty in de hoek was het net of ze dansten op twee verschillende deuntjes.

Babe duwde hem weg en begon te huilen. De donzige henna krulletjes over haar oren wiebelden op en neer. Ze zette de eieren van het vuur en veegde haar ogen af met de pannelap.

'Babe, alsjeblieft,' smeekte Tom. Hij stak zijn handen uit om haar gevulde schouders aan te raken, zoals Salty zich herinnerde dat zijn moeder haar handen uitstak naar dingen in het wild, dieren in nood, en haar bezorgde, verschrikte liefde aanbood. 'Babe, je betekent alles voor me.'

'Dat weet ik,' zei ze. 'Ik weet dat het zo is.' Met grote waardigheid liet ze toe dat hij haar aanraakte. 'Maar, Tom...'

'Maar je wilt hem nemen. Is dat zo? Ben je vastbesloten? Kan niets je van je besluit afbrengen?'

'Nee, ik wil het niet als jij het niet wilt, Tom. Maar het lijkt vreemd...'

'Wacht even.' Hij trok zijn handen terug. 'Het is niet vreemd. We kennen hem niet.' Hij richtte zich tot Salty. 'Je moet vooral niet denken dat we over iets blijvends praten. Het zou in ieder geval tijdelijk zijn. Begrijp je? Als we voor dit huis niet wat meer bedrijvigheid kunnen optrommelen, gaan we het verkopen.'

Babe hield van verbazing op met huilen.
'Maar er zijn wat reparatiewerkzaamheden, misschien goed voor twee weken. Kun je schilderen?'
Salty knikte. Hij zou desnoods gezegd hebben dat hij kon vliegen.
Tom zuchtte. 'Goed. Kost en inwoning. En je zult ervoor moeten zweten. Begrepen?'
'Ja,' zei Salty. De opnieuw aangezette scherpte in Toms stem weerhield hem ervan meneer of zelfs dank u eraan toe te voegen. In plaats daarvan vroeg hij: 'Wanneer kunnen we komen?'
Babe droogde haar ogen en knapte een beetje op. 'Nu, er is in ieder geval geen gebrek aan kamers. Als de reizigers vandaag zijn vertrokken, hebben we alleen nog maar de McCaslins.'
'Kan ik morgen beginnen?' Nu dat was afgehandeld, wilde Salty plotseling weg uit de kamer, weg van hun aanwezigheid naar buiten in de frisse lucht.
'Wacht even.' Tom pakte hem bij de schouderbanden van zijn overal op het punt waar ze elkaar kruisten en trok hem terug. 'Ik zal je met de auto wegbrengen.'
'Dat hoeft niet,' protesteerde Salty. Dat was het allerlaatste wat hij wilde. Hij had er behoefte aan net zo lang te rennen tot zijn adem piepte. Hij had er behoefte aan hardop woorden uit te schreeuwen en bladeren van onkruid af te rukken.
'Maar, Tom, je ontbijt...'
'Ik heb geen honger.' Tom trok een werkhemd aan dat achter de heur hing en bracht zijn bretels op hun plaats. Hij zette zijn hoed resoluut op de lijn waar zijn gebruinde voorhoofd wit werd. Hij was al bij de deur, toen hij aarzelde en terugging naar Babe. Hij legde twee vingers op de rode moet op haar wang. 'Is alles weer goed?'
Ze wendde haar hoofd af.

3

De auto was een oude Chevrolet met een Indiaan op de motorkap. De garage was eens een schuur geweest; de brede deuren waren nieuwer dan de muren. Salty ging bij Tom Buckley op de voorbank zitten en kneep zijn koude handen tussen zijn knieën fijn. Ze reden achteruit de oprit af.

Op de veranda van het huis aan de overkant van de straat riep iemand tegen iemand anders binnen: 'Haal het uit het bad!' Die woorden haakten zich als klitten vast en bleven in Salty's hoofd hangen, raadselachtig, stekelig. Wat halen? Waarom? Het was als met de woorden op het briefje van zijn mamma die hem beladen met vragen naar de man naast hem hadden gestuurd.

Tom Buckley staarde recht voor zich uit. Salty veronderstelde dat hij alles had gezegd, zoëven in de keuken. Meer dan hij had verwacht.

Ze reden door de stad. Het nieuwe Model A was verdwenen. Langs de grillig beschaduwde straten zetten ze koers naar het westen. Tom zei tegen de Indiaan voor hem: 'Ik verwachtte je.'

Salty kneep zijn handen zamen. Zijn hersens liepen leeg van verbazing.

Tom zei: 'Ik hou er niet van dat mensen ongevraagd komen binnenvallen en mijn leven veranderen.'

'U drijft een pension,' zei Salty voorzichtig. 'Dan komen er toch steeds nieuwe mensen binnen?'

Als een bokser die plotseling een harde por geeft om te zien wat voor vlees hij in de kuip heeft, vroeg Tom: 'Wat wil je?'

'Alleen maar een plaats voor ma en mij. Zodat we bij elkaar kunnen blijven, de laatste twee die van ons nog over zijn.' Ze reden langs Mount Zion. Salty's hoofd draaide zich om, aangetrokken door de schaduwen. 'De man van het korenveld kwam en zei dat we daar niet konden blijven wonen, het was nu van hem. Wie ook de vroegere eigenaar was had het onder ons vandaan verkocht.'

'Maak niet zo'n drukte,' zei Tom. 'Ik was de eigenaar. Ik heb het verkocht. Ik had direct geld nodig en het was alles wat ik had.'

Hij weerhield zich ervan te zeggen, dat zal wel. 'U had uw eigen huis.'

'Het pension is van mijn vrouw en mij samen. Dit huis was alleen van mij.'

'Wat dacht u dat we zouden doen?'

'Ik dacht dat jullie familie hadden. Dat hoopte ik. Ergens anders.'

'Nou, die hebben we niet. Mijn grootmoeder en grootvader zijn gestorven toen iedereen de griep had.'

'Goed,' zei Tom. 'Ik had het mis. Daarom probeer ik het goed te maken. Jullie hebben een plek waar je kunt wonen. Tijdelijk. Onthoud dat.'

'Ik zal het onthouden.' Hij voelde bittere woede in zich opkomen. 'Als ik mijn mamma niet beloofd had dat ik voor ma zou zorgen, was ik u niet komen lastig vallen.'

'Dovie zou geen mens ter wereld gevraagd hebben zo'n domme belofte te doen.'

'Het is geen domme belofte. Ma is helemaal niet lastig. Maar ze is vierentachtig. Ze is op het erf gevallen toen ik op school was en heeft daar de hele dag gelegen tot ik thuiskwam.' Hij zweeg en verwijlde in stilte bij het moment waarop hij was neergeknield en had geweten dat de balans in hun leven was doorgeslagen naar de andere kant en hij nu de sterkste zou zijn.

'Dus kwam je op een draf naar de Buckley Arms. Waarom?'

'Omdat mijn mamma daar vijftien jaar heeft gewerkt, daarom. Ze leek daar meer thuis dan waar ik was en u hebt een groter deel van haar leven gehad dan ik.' Hij was verbaasd over zichzelf. Het was niet de reden die hij had willen geven. Maar hij zette door. 'Dus was het een beetje alsof u bij mij in de schuld stond.'

Salty zag de rivier over de velden komen. Daarginds in

de zandverstuiving kon hij zonder mankeren neerknielen en in de nesten van watervlugge konijntjes of piepkleine muizen gluren. Hij wist waar de wasberen op hun kleine pootjes te voorschijn kwamen. Daarginds wist hij wie hij was en voelde hij zich overal thuis. Maar dat was afgelopen. Hij haalde het briefje uit zijn borstzakje en gaf het aan Tom.

Tom wierp er een blik op. Hij legde zijn hand weer op het stuur terwijl hij het papier nog vasthield. Het lag in de tocht en rilde alsof het leefde. 'Dat is de belangrijkste reden waarom,' zei Salty.

Tom verminderde vaart en keek in de verte naar drie kraaien die op de weg zaten, alsof hij niet precies wist hoe hij ze moest passeren.

'Waarom zou ze dat zeggen?' vroeg Salty.

'Daar heb je zelf al een antwoord op gegeven. Als je moeder volgens jouw zeggen helemaal geen familie had, naar wie anders had ze je dan kunnen sturen?' Tom vermeerderde vaart. 'Luister, als ik op dit moment niet zo slecht bij kas was, zou ik je helpen om een meer permanente woonplaats te vinden, met een of ander baantje.'

'Hoe zit het met de familie van mijn vader?'

'De familie van je vader?'

'Ik ben nooit te weten gekomen wie hij was.' Het was of Salty's adem halverwege zijn longen stokte. 'Weet u het?'

'Daar heb ik echt niets mee te maken,' zei Tom. 'Met dat soort van zaken. Het kan een willekeurig iemand geweest zijn.'

'Wat bedoelt u?'

Tom haalde zijn schouders op. 'Het waren toen moeilijke tijden. Als ze wat extra geld nodig had...'

'Hoe bedoelt u, geld? Hé, pas op uw woorden.'

'Neem me niet kwalijk,' zei Tom. Hij verfrommelde het briefje langzaam tot een kleine papieren knikker en mikte het het raam uit. 'Dat ze 's avonds alleen naar huis liep, zoiets bedoelde ik. Een willekeurig iemand, iemand die wist dat ze niet kon praten.' De kraaien sprongen op het allerlaatste moment op en vlogen weg terwijl hij de auto over een klein en dood iets heen reed en er nauwkeurig voor zorg droeg dat geen wiel het raakte. 'Je zult het waarschijnlijk nooit precies te weten komen.'

'Ik zal het te weten komen,' zei Salty koppig. Hij keek naar de kraaien die weer neerstreken op hun bloederige prooi. 'Toen ik een mamma had was het anders. Maar nu, als ik ergens een vader heb, wil ik weten wie het is.' Hij keek recht naar Toms profiel tegen het lichte raam. 'Waarom zou ze dat laatste stuk zeggen?'

'Welk laatste stuk?'

'Waarom zou ze zeggen dat ik van u moest houden?'

'Waarom niet?' zei Tom. 'Ze was een hartelijk iemand. Ze hield van mijn vrouw; zij en Babe, die waren altijd – ze hield van iedereen. Dat behoor jij te weten. Haar zoon behoort dat te weten.'

Innerlijk voelde hij de kleine witte knikker wegrollen en tot stilstand komen in het gras langs de weg. Hij had haar briefje willen bewaren. Het waren haar laatste woorden aan hem, haar laatste opdrachten. De stem die hij nooit had gehoord, die afscheid nam. Misschien had ze hem alles willen vertellen wat ze wist, alles wat hij moest weten.

En toch, toen hij Tom het papier zag verfrommelen, had hij het zware gewicht van haar opdracht voelen verminderen. Het waren maar drie woorden geweest. Een voorstel.

'Hoe komt het dat u mijn briefje hebt weggegooid?' vroeg hij.

Een zuinig lachje veranderde Toms gezicht. 'Ik weet niet wat voor spelletje je speelt. Of waartoe die overgrootmoeder je heeft aangezet. Het kan zijn dat jullie eerst alleen maar een verblijfplaats wilden krijgen door een beroep te doen op ons medegevoel. Maar luister goed – je roert iets aan waarvoor je nog niet oud genoeg bent of slim genoeg om het te hanteren. Of om er ook maar de implicaties van te kennen. Maar begrijp me goed: als je er een stap verder mee gaat, zet ik jullie alle twee in een ommezien op straat. Je gaat het niet bij mijn vrouw proberen. Ze heeft te veel verdriet in haar leven gehad, ze mag niet nog meer krijgen. Daar ben ik voor. Om daarop toe te zien.'

Dat was duidelijk toen u haar sloeg, wilde Salty zeggen,

om zijn opkomende angst te verdrijven.

Ze staarden voor zich uit, op hun hoede voor elkaar. In de hitte werd iedere kuil in de weg een plas, een leugen die vervluchtigde als ze naderbij kwamen. Hij wist niet waar Tom het over had, of misschien wist hij het wel. Maar het was net als het zien van water in een luchtspiegeling, hij wist het niet zeker.

'Ik ben niet hard van aard,' zei Tom op zachtere toon. 'Ik heb haar of iemand anders nog nooit op die manier geslagen. Zelfs in de oorlog niet. Ik vertel je dit omdat...' De woorden kwamen aarzelend over zijn lippen. 'Soms gebeuren er dingen...' Hij verminderde vaart, zoekend naar de afslag. 'Ik had gas binnengekregen. Van mijn longen was niet veel meer over. Je moeder heeft naast al haar andere taken op zich genomen me in leven te houden.' Ze hobbelden van de geplaveide autoweg een karrespoor op. Tom veegde eerst zijn ene handpalm en toen zijn andere op zijn knieën af om beter het stuur te kunnen vasthouden. 'Het spijt me dat je vindt dat we haar van je hebben afgenomen. Ik ben net als Babe. Ik had er eigenlijk geen idee van hoe het bij jullie was.'

Ze reden verder onder een wolk. Hun ogen ontspanden zich toen de schaduw als een strelende hand over het karrespoor voor hen uit liep.

Aarzelend gaf Salty iets van zichzelf bloot, zoals Tom had gedaan. 'Ik speelde vroeger dat mijn vader in de oorlog was.' Hij zette zich schrap toen Tom de weg af schoot en zich een eigen pad baande langs de rand van het korenveld. 'Toen ik klein was, wist ik niet dat de oorlog al was afgelopen en ik speelde dat hij thuis zou komen, weet u, met allerlei spullen, granaten en spullen die hij van de moffen had afgenomen.'

'Duitsers,' zei Tom.

'Duitsers. En ik dacht dat hij zou zeggen, kijk eens wat ik voor je heb meegebracht, want ik was toen zo klein en zo dom dat ik dacht dat hij dat zou doen. Maar toen hij helemaal niet kwam, zei ik, nou, dan is hij gesneuveld.'

Tom zwenkte over de ongebaande heide af naar het huis.

'Oorlogen zijn er om mensen te doden,' zei hij en hij stapte op het erf uit.

Tollybosky kwam aanzeilen en gaf Tom een por in zijn been. Salty pakte de ganzerik en hield de vleugels omlaag waarmee hij woedend onder zijn arm op en neer sloeg. 'Hij is even goed als een waakhond,' zei hij verontschuldigend.

'Beter,' zei Tom terwijl hij zijn dij wreef. Hij keek naar het schamele huis zoals Salty bij wijze van afscheid had gedaan. In Salty's ommuurde herinnering ging even een deur open. Daarachter was het donker. Waar? De deur ging weer dicht.

Ma kwam naar de deur. Ze had haar gedeukte zwarte hoed op en haar begrafenisjapon aan. Haar stok was met een veter aan haar middel vastgemaakt en ze leunde erop zoals Columbus wordt afgebeeld als hij Amerika ontdekt. Tom liep naar haar toe en zei: 'Mevrouw Yeager.'

Ze had gehuild. Haar ogen waren kleine spleetjes. 'Ik ben klaar,' zei ze. Ze liet haar houding varen en keek achterom de kamer in. Salty zag op de tafel twee dozen die waren dichtgebonden en een bultige zak vol met wat hun kleren moesten zijn. Hij was sprakeloos van verbazing. Ze vertrokken nú. Ze had geweten dat ze zouden vertrekken voordat hij het wist. Ze had gepakt terwijl hij weg was.

Tom ging naar binnen en keek rond. Hij zei: 'Zal ik iemand sturen om weg te halen wat er nog is – de matrassen en zo? Ze brengen allicht nog een paar dollar op.'

'Heel graag,' zei ze. 'Ik zal mijn bed missen, maar...' Ze zette zich in beweging en liep met een slakkegang het pad af. De voorkant van haar japon hing een stuk lager dan de achterkant, meezakkend met haar gebogen houding.

'We zullen een lekker bed voor u in orde maken, mevrouw Yeager,' zei Tom.

'Niet zoals mijn eigen bed,' zei ze op haar kalme toon. 'Maar het is te laat om kieskeurig te zijn.'

Tom keek naar de rivier die in de ochtendhitte al in een glinsterend waas was gehuld. 'Heeft ze... heeft ze iets nagelaten dat u zou willen meenemen?'

'Dat heb ik bij me,' zei ma. Ze liet Tom haar arm pakken

en haar helpen plaats te nemen op de voorbank. Hij ging terug om hun spullen te halen. Toen hij ze in de auto legde, werd Salty overvallen door een krankzinnig verlangen. Hij wilde dat zijn leven terugdraaide als een film – zodat Tom verdween, het winter was en zijn mamma thuiskwam van haar werk. Hij wilde dat het daar stil bleef staan, verstard, de handen omhoog, de damp van het eten roerloos. Hij kwam tot bezinning en ging bedachtzaam met Tollybosky op de achterbank zitten.

'Dat gaat zo maar niet,' zei Tom. Hij sloeg zijn armen over elkaar.

'Ik kan hem niet *achterlaten*,' barstte Salty uit. 'Hij is tam. Er zijn prairiewolven en jagers en jongens met katapulten. Hij is van mij, ik heb hem opgefokt. U hoeft niets te doen, ik zal voor hem zorgen!'

'Maar wie zal voor ons zorgen?' zei Tom.

Tollybosky ging zwaar op Salty's knieën zitten en zuchtte als een klein trompetje in de verte: 'Hoei.'

'Luister eens,' zei Tom op vermoeide toon, 'er moet een andere oplossing voor gevonden worden. Iemand die hem wil nemen.'

'Maar het is voor tijdelijk,' bracht Salty hem in herinnering. 'Hij is het enige wat ik heb.' Hij deed zijn best het angstige beven van zijn stem te beheersen. 'Alstublieft.'

Tom keek van hem naar ma en weer terug. Tollybosky deponeerde een keurig grijs hoopje op de bank van de auto. 'Proost,' zei Tom. Hij sloeg de achterdeur met een klap dicht en ging het huis afsluiten.

'Het spijt me, meneer Buckley,' mompelde ma tegen zijn rug. 'We zijn een last.'

Tollybosky's zaagbek greep een rafel van de bekleding en knarste tevreden. Salty pakte zijn hals. 'We zijn geen last,' zei hij tegen ma. 'Het is zijn eigen schuld – hij was het die het huis onder ons vandaan heeft verkocht.'

'Ik weet dat hij het was,' zei ma van de voorbank. Er hing spinrag aan haar hoed. 'Maar ik zal je vertellen waarom hij het heeft gedaan en dan mag je er met niemand meer over praten. Wie denk je heeft ons al die jaren hier laten wonen zonder huur te vragen? Met wiens geld denk je zijn de doktersrekeningen en de begrafenis van je mamma betaald?'

Tom stak het erf over en stapte in. Hij startte met zo'n ruk dat Salty tegen de rugleuning van de bank geslingerd werd. Tollybosky gakte en ging weer zitten. Ze reden weg door de schurende heide.

4

'Hij zal in de garage moeten blijven totdat we een afrastering hebben gemaakt,' zei Tom toen ze stilhielden op de inrit. 'Er is binnen een pot waar je water in kunt doen. Neem de tuinslang.'

Salty deed zoals hem gezegd werd. Tollybosky liep naast hem en schudde na de rit zijn veren weer op hun plaats.

'Dit is niet voor lang,' beloofde Salty toen hij de ganzerik in het donker opsloot. Hij haalde de laatste doos uit de auto en ging naar binnen onder het verbleekte naambord dat nog verlicht werd door een witte bol, vol bruine vlekken die eruitzagen als werelddelen.

In de gang waren aan alle kanten deuren. Zijn voeten kwamen geluidloos neer op een bontgekleurde loper die ook de trap op ging. Ma kon niet voetje voor voetje langs die trap naar boven zijn geschuifeld. Hij struikelde over een geschilderde gipsen buldog die tegen de deur stond om te voorkomen dat die dicht woei. Hij slaagde erin zichzelf op te vangen evenals de plaat die omlaag kwam toen hij tegen de muur viel. Het was een foto van de Buckley Arms toen het nieuw was en wit en trots, omgeven door boompjes als bezemstelen en ruimte. Een jongetje in een korte broek stond op de veranda, ook nieuw en trots.

Hij hoorde ergens muziek vandaan komen. Hij gluurde in de salon. Het deksel van een koffergrammofoon stond open en de McCaslins waren aan het dansen op de muziek van een afwezig orkest. Ze zwierden rond zonder hem te zien en zagen er in hun kleren anders uit. Hardy McCaslin had nu bovendien zijn eigen gezicht en haar; een grote verbetering vergeleken met de piekfijne heer.

De muziek hield op. Rose Ann McCaslin die werd omsloten door de kromming van Hardy's gebroken arm vroeg: 'Zo zou je wel je leven willen doorbrengen, niet?'

Hij lachte tegen haar en zei: 'Draai eens "Mijn eiland van

gouden dromen".' Ze koos een andere plaat en wond de slinger stijf op. Toen er zachte, lieflijke tropische muziek weerklonk, omvatte hij haar met zijn stijve arm. Hij zag Salty en knipoogde smachtend.

Tom kwam uit een deur achter de trap en zei: 'Hierheen. Je ma is al helemaal op orde.' Salty keek in een klein kamertje met scheve hoeken, rimpelig behang en een zonnig raam. Ma zat in een schommelstoel. Haar dozen stonden open op het bed, maar de zak met kleren was verdwenen.

'Helemaal op orde,' bevestigde ma op haar kalme toon, maar het leek wel of haar witknokige handen probeerden de schommelstoel door een stroomversnelling te sturen.

Tom zei: 'Er is nog een kamertje hiernaast.'

'Ik wil de kamer van mijn mamma,' zei Salty. 'Ze had een kamer.'

Tom keek Salty kort in zijn vastberaden gezicht. 'Ja. Ze had een kamer.' Hij liep de gang door en opende een van de vele deuren. Salty volgde hem langs een ingebouwde trap naar het souterrain. Hij moest weten waar ze al die jaren had doorgebracht die ze niet bij hem had doorgebracht. Kleine, hoge ramen lieten vuil licht door. Hij rook de lucht van vochtig beton en vergeten dingen. Ze liepen langs planken met rijen conservenblikken die bruin waren van ouderdom en Tom opende de deur van een kamer. Salty kon een bed onderscheiden, een lage tafel en een stoel.

Tom trok aan een koord en een gloeilamp ging aan die zwaaiend hun schaduwen deed dansen. Net als de rest van de kamer was het smalle bed kaal. Salty legde zijn handen op het geschilferde ijzeren voeteneind van het bed en keek naar de zachte holte in de matras. Toen hij zich eindelijk omdraaide, was Tom verdwenen.

Er was verder niets van zijn mamma overgebleven. De betonnen muren ademden kilte. Een verschoten geïmproviseerd gordijn hing voor het raam, maar ze had het opgenomen, zodat ze de sterren kon zien. Toen hij de kamer uitging, zag hij in het donker achter de deur twee bruine vilten pantoffels. Hij knielde neer, stak zijn handen erin en liet ze langs de muur naar boven lopen tot hij, zijn tranen inslikkend, met zijn voorhoofd tegen hun stoffige tenen gedrukt stond.

Hoe kon ze een lid van de familie zijn geweest, zoals ze zeiden, beneden in die kamer?

Toen hij weer boven kwam, was de keuken leeg maar hij zag Babe Buckley op de veranda achter het huis bezig proppen kleren door de wringer van een wankele wasmachine te duwen. Het werd tijd dat hij zijn kost ging verdienen. Hij liep naar buiten en pakte de hoeken van de stof beet als ze erdoorheen drongen voordat ze om de grijze rubber rollen konden draaien. Hij herkende zijn kleren en die van ma. Wat dacht ze, dat ze luizen hadden of zoiets?

'Goed zo, Salty!' zei Babe, zo opgewekt dat hij wist dat ze zich herinnerde waarvan hij die morgen in de keuken getuige was geweest. 'Dank je wel.' Ze lachte parelend, met kuiltjes in haar wangen. 'Dovie deed dat vroeger ook. We deden altijd de was samen en dan praatten we.' Ze lachte. 'Ik praatte, bedoel ik, en zij antwoordde. Je weet wel.'

'Ja, mevrouw,' knikte Salty die wist hoe het weifelende gezicht van zijn mamma langzaam oplichtte wanneer ze iets begreep, als een veld dat opklaart achter de wolkenschaduwen.

'Zo, je gaat dus maar meteen aan de slag. Okiedo. Je kunt dit ophangen terwijl ik met het eten verder ga en dan kun je de tafel dekken en opdienen. Nadat we hebben gegeten en afgewassen, gaan we de kamers schoonmaken die de toeristen gisteravond hebben verlaten en nog een was doen. Je bent een geschenk van de hemel, Salty – het is gewoon te veel voor één mens.'

Of tien mensen, dacht hij terwijl hij de was aan de lijn hing.

Babe was kip aan het braden. Salty leunde tegen de deurpost en zijn hoofd duizelde. In zijn maag zocht een rat knagend een uitweg. Waarschijnlijk om de drie rabarbertaarten aan te vallen die op de tafel stonden te blozen naast een beslagen kan met ijsgekoelde thee.

Hij rende heen en weer om haar opdrachten uit te voeren, rammelde met de borden en rinkelde met het zilver in zijn trillende handen. Vanuit de eetkamer met de lange met zeildoek gedekte tafel hoorde hij haar de aardappels stampen, plof, plof, plof. Ze riep door de deur: 'Ik denk dat je overgrootmoeder wel met je in de keuken zal willen eten.'

Salty onderbrak zijn vaart. 'Ja, mevrouw. Ik denk van wel.' Dit idee schoot hem in het verkeerde keelgat. Het feit dat hij een gehuurde hulp was had van ma ook een gehuurde hulp gemaakt.

'Ach wat, ik ga haar ma noemen net als jij,' zei Babe toen hij weer in de keuken kwam. 'En je kunt ons net als iedereen Babe en Tom noemen. Er is geen naam of je kunt hem met respect uitspreken.' Ze strooide peper over de roomsaus, zodat Salty het water in de mond liep. 'Ik moest mijn vader tot de dag van zijn dood "sir" noemen, maar daarom had ik nog geen respect voor hem. Wanneer je klein bent en 's nachts angstig wakker wordt en "papa" wilt roepen, kan je het gewoon niet gedaan krijgen "sir" te roepen.'

Ze draaide zich naar hem om met een hoog opgetast bord in haar hand. Zijn rat maakte een buiteling en hij stak aarzelend zijn hand uit. 'Ik dacht dat ik het laatst moest eten.'

'O, een volgende keer,' zei Babe. 'Ik weet wanneer een jongen honger heeft.'

Hij zette het bord op de keukentafel en begon in een beschaafd tempo. Bij de derde hap viel hij al sneller op het eten aan en in minder dan geen tijd zat hij te schrokken als Hollebollegijs.

Babe mompelde: 'Bewaarme,' maar niets kon hem ervan afhouden om zich gulzig heen te werken door een van de volmaakste momenten in zijn leven.

'Het smaakt alsof mijn mamma het heeft gekookt,' zei hij, een warm broodje naar binnen werkend dat hij tot één hap had samengeknepen.

Babe keek vergenoegd. 'We hebben het elkaar geleerd.' Ze schepte nog wat sperziebonen en koolsla op de lege plekken op zijn bord. 'We konden goed samenwerken, Dovie en ik. Ik mis haar toch zo.' Ze liep vlug naar de eetkamer en luidde een handbel.

Tom kwam van buiten de keuken in en waste zijn handen

aan de gootsteen. Terwijl hij doorliep naar de eetkamer, stapelde Salty voor ma een bord vol met borstvlees en jus, overvallen door de plotselinge angst dat het allemaal weggehaald en opgegeten zou zijn voordat hij voor haar had kunnen zorgen. Hij vloog de gang door en haalde haar naar de keuken. Hij liet haar plaats nemen voor de overvloedige berg.

Ma zei: 'Ik weet dat de Heer verschaft, maar Hij had niet alles in één maal hoeven te verschaffen.'

'Eet,' siste Salty blij en hij haastte zich om de twee laatste schalen naar binnen te brengen. Hardy en Rose Ann gingen net zitten.

'Dit is de zoon van Dovie,' zei Babe. 'Dit is Salty.'

'Zo?' Hardy stond op, grinnikte met een vriendelijke blik van verstandhouding en nam met zijn goede hand een voor een de zware schalen van hem over. 'Ik ben de neef van Babe. De klaploper van de familie.' Hij dacht aan zijn manieren en werd ernstig. 'We zijn hier sinds december – we hebben je moeder gekend. We vinden het naar dat ze is gestorven.'

'Hardy!' Rose Ann drukte haar servet tegen haar lippen en zei erachter: 'Flap toch niet alles er zomaar uit.'

'Waarom niet? Ik vínd het naar dat ze is gestorven.'

'Ik ook,' gaf Salty toe, opgelucht dat hij het kon zeggen. Hij ging naar de keuken om de kan thee te halen.

'Dat zal ik voor je inschenken,' zei Hardy terwijl hij de kan aanpakte. Salty bracht de glazen rond die Hardy vulde en ging toen achteraf staan om op instructies te wachten.

Tom zei tegen hem: 'Ik heb een rol kippegaas opgezet voor die zwempotige waakhond van je.'

'Dat zal hij fijn vinden,' zei Salty, een Dank je wel inhoudend met een kilte die paste bij de kamer in het souterrain waar hij zou slapen. Ze hadden hem er juist weer aan herinnerd dat hij niet Dovies zoon was. Dat was hij geweest. Nu was hij niets.

'Is dat een gans die ik hoorde?' vroeg Hardy. 'Ik dacht dat de Eversoles aan de overkant er misschien een kleintje bij hadden.'

Iedereen lachte behalve Rose Ann en Salty in wiens hoofd automatisch *Haal het uit het bad* terugkwam.

Babe boog zich naar Rose Ann. 'Schatje, je eet niet. Heeft de warmte je eetlust weggenomen?' Ze nam een diepe teug uit haar glas en zette het plotseling morsend met een klap op tafel. 'O, *bewaarme,*' gilde ze terwijl ze haar stoel achteruit schoof. 'Tom! In mijn glas!'

Hardy barstte in lachen uit. Salty stond aan de grond genageld toen Tom een lepel door het ijs in Babe's glas liet zakken en met een kakkerlak omhoog haalde. Babe gilde opnieuw en sloeg hem weg terwijl Hardy, kraaiend van plezier, dubbel lag boven zijn bord.

Toen ze het voor de derde maal uitschreeuwde, veranderde Babe's afgrijzen ineens in ongeloof. Haar ogen keken Hardy strak aan. 'Wat een gemene streek,' riep ze. Ze gaf de kakkerlak een duwtje. Hij viel ondersteboven uit de lepel en bleef roerloos liggen. 'Hij is niet echt. Natuurlijk is hij niet echt. Wat ben je toch een gladjanus. Er is nog nooit een kakkerlak in dit huis geweest!'

Nu lachte Tom ook en hij klopte haar op de arm. 'Hij heeft je weer te pakken gehad. Je zult het ook nooit leren.' Ze wiegde een ogenblik heen en weer, vechtend tegen een gevoel van schaamte, maar toen wierp ze haar hoofd achterover en lachte ze met hem mee, toegevend dat hij gelijk had.

Rose Ann lachte niet en trok Hardy aan zijn mouw. 'Werkelijk, Hardy. Er gaat geen dag voorbij waarop ik niet zweer dat ik met een kleine jongen getrouwd ben.'

'Evenzogoed gaat er geen nacht voorbij waarin je niet merkt dat ik een grote jongen ben,' grinnikte Hardy. Hij had gelachen tot de tranen hem over de wangen liepen. Hij haalde een keurige zakdoek te voorschijn en snoot zijn neus. Vlak voordat het gebeurde, had Salty het al vermoed – de zakdoek was ook een truc. Er barstte zo'n hevig trompetgeschal los dat iedereen in zijn stoel achterover viel. Salty sloeg dubbel met een kreet van pure verrukking.

'O, Hardy, dat is vulgair!' De bleke huid van Rose Ann werd roze. 'Wanneer word je nu eindelijk volwassen?' Ze richtte zich tot de anderen. 'Mijn excuses.'

De lach gleed weg uit Hardy's gezicht en er bleef een gestold glimlachje over als een restje dat op de bodem van een kopje was blijven kleven.

'Geef hem de tijd,' zei Tom.

Babe giechelde. 'Of beter nog – zorg dat je een baby krijgt, schatje. Je zult verbaasd zijn hoe snel hij dan verandert in een echte, degelijke huisvader.'

'Je zult verbaasd zijn hoe snel ik hem dan linea recta terugstuur naar waar hij vandaan gekomen is.' Hardy rolde de namaakkakkerlak onhandig in zijn truc-zakdoek en stopte ze in zijn zak.

Rose Ann zei: 'Jullie wilt me wel excuseren. Ik moet nog een paar brieven schrijven.' Ze ging de kamer uit. Niemand sprak. Salty raapte haar servet op en legde het op de tafel.

'Heb ik iets verkeerds gezegd?' fluisterde Babe.

Hardy schudde zijn hoofd. 'Ze is – ik weet het niet – ze tobt over iets. Niets valt bij haar in goede aarde, van wie ook.' Hij lachte. 'Vooral niet het advies om een baby te nemen, terwijl we onze uiterste best doen er geen te krijgen.'

Tom zei: 'Het leek of het de laatste tijd beter tussen jullie tweeën ging.'

'O, we hebben een heleboel goede momenten,' zei Hardy. 'Tussen een heleboel slechte uren.'

Ma was al weg toen Salty de schalen naar de keuken terugbracht. Haar bord was leeg op twee borstbeentjes na, die ze voor hem had laten liggen om er een wens mee te doen. Hardy kwam binnen en stak hem er een toe.

Hij wist niet wat hij moest wensen. Dat hij altijd in de Buckley Arms mocht blijven? Dat hij te weten kon komen wie hij was, wat hij nog meer was dan de zoon van Dovie? Hij kon niet riskeren wensen van zo veel gewicht aan het toeval over te laten. Hij keek naar Hardy's strakke gezicht en net toen ze hun pols schrap zetten om het borstbeentje te breken, zei hij: 'Liever niet.'

5

Salty greep een lepel die hij bijna met het vuile afwaswater had weggegooid. De afwas van het ontbijt en het middageten was klaar, maar het zware gevoel dat hij had was meer dan vermoeidheid en te veel eten. Zo zou het nu voortaan zijn. Mensen. Werk. Nieuwe gebruiken en nieuwe problemen, die hij aan de rivier nooit had gehad. Zijn voeten dreven in zijn schoenen. Hij zou weldra een wc moeten zoeken in plaats van even buiten achter een boom te gaan staan. En Tollybosky zou moeilijkheden geven – dat voelde hij.

Hij kon de tijdelijke omheining zien die Tom achter in de tuin had uitgezet. Er was een perzikboom voor schaduw, maar er was te weinig gras. Hij zou moeten vragen of Tolly op het grasveld mocht grazen of langs het laantje waar onkruid groeide. En hij zou in het afval moeten graaien naar koolbladeren en groenteresten die Babe weggooide.

Terwijl hij stond te kijken, deed Tom de deur van de garage open en liet hij Tolly naar buiten komen. Tolly viel hem opnieuw aan met zijn kop omlaag en gestrekte hals, sissend als een locomotief. Tom stopte hem, bijtend en krabbend, in het geïmproviseerde perk. Terwijl Tom over een snee in zijn hand wreef, trok Tolly verontwaardigd al zijn veren glad, waarna hij een luid triomfantelijk gesnater liet horen.

'Je kleren zijn droog,' zei Babe bij de keukendeur. Ze hield Salty's andere overal omhoog. 'Als je klaar bent, kun je een bad nemen en je verkleden.'

Hij liet bijna de afwasteil vallen. Het zou nog erger worden dan hij zich had voorgesteld. Hij bleef zo lang mogelijk afdrogen en opruimen, maar ze bleef met zijn kleren in haar hand staan, even vastberaden als hij. Eindelijk hing hij zijn theedoek op en hij volgde haar naar een van de deuren in de gang.

Ze gaf hem zijn overal en hemd. 'Ik heb gezien dat er

geen ondergoed bij je spullen is. Ik zal je wat van Tom brengen.'

Hij ging naar binnen en deed de deur tot op een kier dicht. 'Nee, mevrouw. Dat heb ik niet nodig.'

'Je moet ondergoed dragen,' zei ze effen.

'Niet van hem, ik wil het niet.' Hij ging op de rand van het bad zitten, niet precies wetend hoe ver hij haar in zo iets persoonlijks durfde dwarsbomen.

Babe's voetstappen verwijderden zich. Hij wachtte in angstige spanning en vroeg zich af hoe hij boos kon zijn op iemand die zo heerlijk kookte. Ze kwam terug en zei: 'Ik zal het hier aan de deurknop hangen. En dan ga ik tegen je overgrootmoeder zeggen dat ze niet moet uitpakken voordat we het eens zijn over een paar regels hier in huis.'

Tijdens het wachten stelde hij zich voor dat haar paarlen glimlach veranderde in twee rijen gebroken schelpen. Onder al die mollige dikte was ze een zak cement. Hij opende de deur en haalde de ouderwetse katoenen onderbroek van de knop.

Babe keek ernstig. 'Salty...' begon ze, maar hij deed de deur voor haar neus dicht en liet het water lopen totdat ze wegging.

Hij had nog nooit een bad genomen in een echte badkuip. Hij wist niet hoe vol hij hem moest laten lopen, maar een paar centimeter leek hem meer dan genoeg. Toen hij zich afdroogde, zag hij door het raam de planten die hij al kende van de stekjes die zijn mamma in de loop der jaren mee naar huis had genomen en met veel geduld in de zanderige wind had opgekweekt. Hij hoorde kinderen schreeuwen in het huis aan de overkant. Hij was niet gewend aan kinderen. Hij ging naar school toen ze hem ernaar toe stuurden en daar zag hij kinderen, maar hij kon ze missen. Hij was liever in zijn eentje bij de rivier.

Zijn hemd en zijn overal waren zo schoon dat ze kraakten. Het gekeperde katoen met de dubbele naden schuurde als een rasp, maar hij kon het wel uithouden tot ze over een paar dagen zacht werden. Hij propte het ondergoed van Tom achter in de badkamerkast in een bijna leeg pak met Epsom zout.

Op de gang gekomen snuffelde hij een beetje rond en raakte hij dingen aan. Kanten gordijnen. Chic behang. Hij liep zo voorzichtig de trap op dat die maar een paar maal kraakte, maar de McCaslins hadden hun deur gesloten.

Toen hij weer naar beneden geslopen was, zat ma in kousevoeten op haar stoel en ze zag er moe uit. Alles was uitgepakt en haar kamer was opgeruimd. 'Hoe gaat het?' vroeg hij.

Ze streek bewonderend over zijn schone overal. 'Beter dan ik verdien, naar ik mag aannemen.'

'Hebt u iets nodig?'

Ze tikte tegen de bobbel in haar zak waar ze haar snuifdoos bewaarde. 'Ik zou graag een spuugpotje willen hebben, als je er een kunt vinden.'

'Ik zal mijn best doen,' beloofde hij, zich afvragend wat Babe daarvan zou denken. Haar denkbeelden over het gebruik van snuif waren vast even strikt als haar denkbeelden over ondergoed. Toen hij weer in de keuken kwam, was ze al aan het rammelen met de pannen voor het avondeten. Hij zuchtte en ging helpen.

Toen hij de soep naar de eetkamer bracht verwachtte hij behalve de anderen toeristen voor het avondeten aan te treffen. Maar niemand had voor de nacht zijn intrek genomen. Slechts Babe en Tom en Hardy zaten aan tafel. Babe zei zachtjes: 'En je neef, zou die niet een hulp in de winkel kunnen gebruiken?'

'De jongen misschien,' zei Tom. 'Maar niet als hij haar er ook bij moet nemen. Als we de boel werkelijk verkopen, zullen ze gewoon...' Hij zag Salty en zijn stem veranderde van toon. 'Wil je een paar verse uien uit de grond trekken voor bij deze bonen?'

Ze hadden over hem en ma zitten praten. Dat kon hij aan hun gezichten zien. Ze waren nu al plannen aan het maken om hem naar iemand anders toe te sturen. Salty haalde zo snel als hij kon uien uit de tuin, maar toen hij weer bij ze terug was, zaten Tom en Hardy zwijgend te eten en was Babe bezig zorgvuldig een taart in stukken te verdelen.

Terwijl Salty weer aan het afwassen was, bracht Babe een tweede was naar buiten om 's nachts te laten drogen. Ze deed haar ringen af en ging deeg kneden voor de broodjes van de volgende dag. Hij zette gedroogd fruit in de week voor het ontbijt. Ze ruimden opnieuw op. Ze glimlachte tegen zijn vermoeide gezicht. 'Je hebt het vandaag prima gedaan, Salty. Ga nu maar naar buiten om een tijdje af te koelen terwijl ik je bed opmaak. En dan kun je er beter in gaan – we staan om vijf uur op.'

Hij ging naar buiten en vond in de vuilnisbak een paar blikjes om naar ma te brengen. Ze zat in haar nachtpon op de rand van het bed net als 's morgens, lang geleden en in een andere wereld.

'Kijk nu toch eens,' zei ze liefdevol terwijl ze zijn hand pakte. 'Schone kleren. We krijgen eersteklas eten, mijn jongen. Elektrisch licht. Stromend water.' Hij glimlachte, hij was blij voor haar. 'Het zijn goede mensen, Salty. Dat ze ons een dak boven ons hoofd geven en ons bij elkaar laten blijven. Vergeet dat niet.'

Hij knikte. Het zou haar alleen maar kwetsen als ze wist hoeveel meer hij nodig had dan eten en onderdak, hoe hij snakte naar meer liefde dan zij hem kon geven. 'Wen er maar niet te veel aan,' waarschuwde hij haar. 'Ze zijn niet van plan ons hier te houden. Ook al verkopen ze dit huis niet.'

Ze trok hem tegen zich aan. Zijn overal kreukelde in haar omstrengeling. 'Nu zijn we hier.'

Hij liep de gang door. Uit een radio klonk snerpende muziek. In de salon zag hij Tom die onder een lamp met franje zat te lezen. Hij zat niet zozeer te lezen als wel te staren naar de grijze muur van zijn krant.

Het licht boven de voordeur brandde nog steeds hoopvol. Nachtvlinders draaiden er als onzekere planeten omheen. Salty ging op de stoep zitten en trok zijn schoenen uit.

Kinderen – degenen die aan de overkant woonden, vermoedde hij – riepen in het donker. Hij zag hun vage gestalten heen en weer springen terwijl hun woorden en gilletjes opflikkerden als vuurvliegjes. 'Je bént 'm! Nietes. Nee éérlijk!'

Hij liep stilletjes naar het trottoir onder de schaduw van de bomen. Iemand reed op een piepende fliets op en neer en zong 'Yes we have no bananas'. Ze klonken allemaal zo zeker. Vannacht in het donker zouden ze weten waar het toilet was en wat ze 's morgens door het raam zouden zien wanneer ze hun ogen openden.

De fiets hield voor hem op de straat stil. Een meisjesstem zei: 'Wie is daar?'

Hij wist niet zeker of ze hem bedoelde. Hij keek zwijgend naar de stevige grijze vlek van haar jurk.

'Ben je een toerist?' vroeg ze. Een paar anderen onderbraken hun geschreeuw en kwamen naderbij. 'Waar kom je vandaan?'

'Ik woon hier,' zei hij zo flink mogelijk.

'Klets! Niets van aan.' Ze liet de fiets op zijn kant vallen en kwam vlak voor hem staan om hem te bekijken. Ze had een rond gezicht, omgeven door wat bij daglicht rossig haar kon zijn en ze had een figuur als een ton.

Iemand aan de buitenkant van de groep zei: 'Tot ziens, Idalee,' en slenterde weg.

'Oké,' riep ze en ze richtte zich weer tot Salty. 'Wat heeft hier de hele dag zo'n krijsend geluid gemaakt?'

'Ik heb mijn ganzerik meegebracht.'

'Wat is dat? Mogen we hem zien?'

'Vanavond niet.' Hij maakte zich groter, het deed hem genoegen dat Tolly hun aandacht had getrokken.

'Wie zegt dat?'

'Ik.'

Ze raapte haar fiets op en liet haar bel rinkelen. 'Nou en? Ik heb wel eens meer eenden gezien.'

'Eenden! Het is een gans, een witte Embden gans. Hij is groter dan dat kleine kind daar.'

'Noem je mijn zusje een gans?'

Hij zuchtte en zei niet, je kent haar beter dan ik. Het licht ging aan achter het smalle raam in het souterrain. Babe maakte zijn bed op.

Het meisje zei: 'Is dat je kamer? Daar woonde die halvegare toen ze hier werkte.'

Hij verstijfde bij die onvoorstelbare woorden, zijn mond bleef open staan van verbazing. Hij moest iets zeggen om zijn mamma te verdedigen, maar zijn kaak zat klem.

'Ze was een engerd,' verklaarde ze. 'Toen we hier pas woonden, probeerde ze iedereen te beheksen.'

'Je liegt!' Hij verbeet alle woorden die hij wist om haar te beschrijven, keek vlug of er toeschouwers waren en duwde haar zo hard van haar fiets dat ze met een klap op het trottoir viel.

Ze gilde als een mager varken en sprong overeind, te goed gecapitonneerd en te woedend om pijn te voelen. 'Er zwaait wat voor je,' brulde ze. 'Je krijgt ervan langs als ik het mijn vader vertel. Hij laat geen stuk van je heel.'

Salty's maag kromp hulpeloos ineen, net zoals in zijn nachtmerries. Zijn voeten wilden hem het liefst wegvoeren en verstoppen tot hij wakker kon worden, maar hij duwde zijn tenen in het gras.

Tom kwam aan de voordeur. 'Hé, kinderen, schei uit daar.' Hij voelde binnen naar de lichtschakelaar en de kleine gloeiende wereld boven de deur werd donker. Alsof hij ook was uitgeschakeld, vloog Salty over het grasveld om het huis heen. Zijn hart bonsde. Het enige dat hij kon bedenken was Tolly uit zijn perk halen en weg wezen, naar de rivier, zijn rivier die geen vragen stelde, zijn thuis. Maar hij dwong zich tot kalmte. Er was geen plaats meer waar hij heen kon. Niemand waar hij heen kon.

Dat vervelende wicht ging nog steeds tekeer, maar verder weg, in de veiligheid van haar eigen veranda. Hij vreesde dat hij in grote moeilijkheden was. Hij vreesde dat haar vader en Tom en de hele wereld hem ervan langs zouden geven.

De kleine witte schim liep achter het gaas op en neer. Hij ging de kooi binnen en zette zich neer in de diepste schaduw. Niemand riep hem. Niemand kwam kijken. Tolly kwam naast hem staan en rikketikte als een naaimachine terwijl hij trachtte zich te goed te doen aan Salty's tenen.

Muggen floten als kogels om zijn oren. Hij vouwde zich stijf om zijn knieën op en liet ze bloed zuigen. Aan de overkant van de straat gingen de lichten uit. Toen boven. Hij dacht dat hij nu wel veilig was. De duisternis bracht haar eigen geluiden met zich mee: gefluister van bomen, roepende stemmen. In de verte speelde een piano iets droevigs. Het gaf hem een verlaten, misplaatst gevoel. Als vuurvliegjes die vragen: Hier? Hier? Hij was blij dat ganzen lang, heel lang leefden, even lang als mensen.

Toen Tolly zich gereed maakte om te gaan slapen en zijn kop tussen zijn veren stak, stond Salty op. Hij was stijf. Het zou hem niet verbaasd hebben als ze hem hadden buitengesloten, maar dat was niet het geval. Hij liep tastend door de gang en probeerde zich de weg naar het souterrain voor de geest te halen. Eindelijk rook hij de vochtige lucht van cement en zag hij het vage schijnsel van de lamp die Babe voor hem had aangelaten. Hij liep op zijn tenen de trap af en ging de kamer van zijn mamma in. Er hing een groene pyjama aan het voeteneind van het zojuist opgemaakte bed. Hij slingerde hem in de hoek en trok het licht uit. Het laken was koel als dauw tegen zijn geschuurde en gestoken huid. Hij vroeg zich af of zijn mamma wist dat hij daar was. Ineens voelde hij zich zo mager en bloot dat hij het bovenlaken over zich heen trok en zich klein oprolde in de holte die ze voor hem had achtergelaten.

Het huis kraakte en kwam boven zijn hoofd, zwaar als een berg, tot rust. Een opgesloten nachtvlinder tikte als vingers tegen het raam. Alsjeblieft. Ik wil hier uit.

Hij droomde dat Hardy op zijn trompetzakdoek blies. Hij werd in het donker met een schok wakker. Het was Tollybosky die luid genoeg snaterde om de hele buurt uit bed te doen springen.

Salty pakte zijn overal, maar zijn twee voeten kwamen in dezelfde pijp terecht. Hij hinkte en struikelde tot hij het goed had en rende zo snel mogelijk de trap op.

Bij de omrastering ging hij op zijn knieën zitten en wachtte hij op de witte schim. 'Luister, je moet stil zijn,' waarschuwde hij. 'Het is midden in de nacht. Je móét gewoon.' Anders kwam er niets van terecht. Hij voelde het gevaar als een havik in de lucht hangen, gereed om toe te slaan.

Maar hoe kon Tolly, die zo blij was dat hij hem zag, dat weten?

Toen hij de treden van de achtertrap opging, nam hij een extra trede die er niet was; hij sloeg voorover en stootte de vuilnisbak van de veranda. Tandenknarsend sprong hij hem na om een eind te maken aan het gerinkel van blikken en flessen die overal naar toe rolden. Als een dolle greep hij om zich heen om ze te verzamelen, abusievelijk afgaande op schaduwen die de maan op het straatje wierp. Tolly maakte aan de wereld bekend dat hij een inbreker had betrapt. Salty schraapte alles bijeen wat niet door zijn vingers gleed en zette de vuilnisbak op de veranda terug. Thuis kon hij in het donker een heel eind lopen zonder een geluid te maken. Hij voelde zich dom.

De hoeken en bochten die hem de weg naar het souterrain moesten wijzen schenen de verkeerde kant op te gaan. Ineens stond hij voor een gesloten deur. Hij dacht dat hij erachter ma zachtjes hoorde hijgen en hij deed open om te zien wat ze nodig had. Springveren kreunden en een lamp ging aan. Tom zat rechtop in een rommelig roze bed naast Babe, die eruitzag als een kikvors op een kanten kleedje.

'Goeie genade,' zei hij vermoeid. 'Wat is er?'

Babe kwam overeind, glimmend van de cold cream. Zij en Salty gaapten elkaar stomverbaasd aan.

'Kun je niet kloppen, verdomme?' siste Tom. Hij scheen voor het eerst samen met Salty de overdadige kamer vol platen van Jezus te zien en de lamp in de vorm van een bloemkelk die neerscheen op zijn piekerige haar. 'Maak, verdomme, dat je wegkomt.' Hij trok aan het kettinkje van de lamp en Salty ging er in het donker vandoor, waarbij zijn zij met een bons tegen de deurpost terechtkwam.

De pikdonkere gang liep de verkeerde kant op in de richting van een grijze spleet. Hij ging er op de tast naar toe en zag dat het de open voordeur was. Net even te laat dacht hij aan de gipsen buldog bij de deur. Zijn tenen stootten er hard tegenaan. Hij hinkte naar buiten de veranda op en drukte zijn gloeiende gezicht tegen de koele wingerdbladeren. Hij was hopeloos. Hij zou van zijn leven zijn bed niet meer vinden.

Toen een hand hem aanraakte, maakte hij op zijn gekneusde tenen een luchtsprong. Hardy's stem zei: 'O, sorry, ik dacht dat je me had gezien.' Hij zat op de bovenste trede in de schaduw van de wingerd. 'Wat is er met jou aan de hand?'

'Niets,' stootte Salty uit. 'Ik had het warm, daarom ben ik naar buiten gegaan. Wat is daar verkeerd aan?'

'Helemaal niets,' zei Hardy. Zijn stem was met de nacht donker geworden.

Salty aarzelde, blij dat zijn leugen werd aanvaard, maar hij werd het meest geremd door de veranderde stem. 'Ik kan Tolly niet rustig houden.'

'Geef hem een paar dagen om te wennen.'

'Maar als hij iedereen wakker houdt...' Hij wilde nog meer gerustgesteld worden. 'Ze zullen hem en mij er samen uit trappen. En ma.'

Hardy stak zijn goede hand uit. 'Ga zitten.'

Salty staarde hem aan zonder zich te bewegen. Hardy leek anders zonder een boel mensen om te overbluffen, maar het was moeilijk te zeggen wanneer hij acteerde: als hij een vrolijke Frans was of nu, dat hij treurig leek.

Hardy vroeg: 'Hoe komt het dat Tom jullie zomaar ineens in huis heeft genomen? Zijn jullie familie?'

'Wat bedoel je? Nee. Dat zijn we niet. Mijn mamma werkte...'

'Dat weet ik allemaal wel,' zei Hardy. 'Ik vroeg het me alleen maar af.' Hij liet zijn uitgestoken hand vallen. Het briefje dat hij die ochtend had gelezen bracht hem tot zwijgen.

Hij weet dat ik hoopte dat hij Tom was, dacht Salty. Hij weet dat ik wilde dat hij de man was van wie mijn mamma me wou laten houden.

'Ik mocht je moeder graag,' zei Hardy. 'Die wonderlijke luisterende stilte om haar heen. Die middeleeuwse handen en voeten, slank als de jouwe. Ik wou dat ik haar had kunnen schilderen.'

'Ben je een schilder of zo?'

'Dat is een van de dingen die ik geprobeerd heb. Schilder,

toneelspeler, dichter. Held.' Hardy krabde aan zijn gebroken arm. 'Verdomme, ik stink. Heeft ze nooit kunnen praten – ik bedoel, was ze zo geboren?'

'Ik weet het niet,' zei Salty. Hij wist het wel. Ma had hem verteld dat toen zijn mamma klein was, haar vader haar had opgesloten in een grote koffer en dat ze zo was toen hij haar de volgende dag eruit liet; maar waarom zou hij dat aan een vreemde vertellen? Misschien had ze daarna best kunnen praten als er iets belangrijk genoeg was geweest om te zeggen.

Een luxe auto reed langzaam voorbij, met open dak en glimmende spaken. 'Stutz Torpedo,' mijmerde Hardy. 'Komt de arme donders in Wickwire bekijken. Werkt zich waarschijnlijk in de dranksmokkel op tot miljonair. Chique kleren. Jazz-liefjes bij de vleet. Terwijl ik hier zit te stinken.'

'Misschien ben ik het wel die stinkt,' zei Salty. 'Ik heb de vuilnisbak omgegooid.'

Hij hoorde Hardy nors grinniken. 'Nou, dan stinken we samen. Door dik en dun. Laag en hoog.' Hij stond op en liet zijn heupfles in zijn zak glijden. 'Nat en droog? Ik heb het gevoel dat het over mijn bedtijd is. De jouwe ook.'

Toen Hardy hem aanraakte, kreeg Salty zo'n brok in zijn keel dat de tranen hem in de ogen sprongen. 'Ik kan het niet vinden,' fluisterde hij.

'Wat kun je niet?'

'Het souterrain vinden.' Zo vlug als zijn trillende vingers het toelieten begon hij bladeren af te rukken. 'Ik weet niet hoe het hier in elkaar zit. Ik wil naar huis.'

Hardy kwam een stap dichterbij. 'Kom, je huis is nu hier,' zei hij met zijn daagse stem. Hij opende de horredeur. 'Kom op.' Hij ging Salty voor door de donkere tunnel van de gang en hield stil bij een deur. 'Wc. Ja?' Hij liep verder. 'Nog twee deuren en dan het souterrain.' Hij ging de trap af en liet zijn goede hand langs de leuning glijden. Ineens viel alles weer op zijn plaats en Salty liep voor hem uit de kamer in. Hij zwaaide met zijn arm tot hij tegen het koord van het licht aan kwam.

'Goeie genade,' zei Hardy zacht, om zich heen kijkend.

'Het is hier niet bepaald de Ritz.'

'Het is oké.' Salty ging met een plof op het bed zitten en greep de rand van de matras met beide handen vast. Niemand, zelfs Hardy niet, mocht hem toedekken.

'Het is niet oké.' In het licht paste Hardy's gezicht bij zijn vermoeide, matte stem. 'Maar het wordt niet veel beter als je boven de trap opgaat.' Hij probeerde met zijn eigen lach Salty een lachje te ontlokken, maar er kwam niets. Zijn mondhoeken zakten weer. 'Je bent toch niet bang of zo?'

Salty haalde met een onzeker gebaar zijn door de muggen gestoken schouders op.

'Dat zijn we allemaal wel eens.' Zijn teen prikte in de pyjama die in elkaar gefrommeld op de grond lag. 'Ik zie dat jij en Babe goed met elkaar overweg kunnen. Weet je nog wat ze aan tafel zei, waardoor Rose Ann de kamer uit ging? Nou, die goeie tante Babe had de zaak door. Nog eerder dan ik.'

'Wat had ze door?'

'Hoe we ervoor staan. Rose Ann heeft vanmiddag het nieuws als een bom laten vallen – boem.' Hij haalde de kakkerlak uit zijn zak en liet hem op de pyjama vallen. 'Jij vindt dat je het zwaar te verduren hebt? Ik heb een baan nodig en twee handen en geld voor de huur van de afgelopen maand en wat krijg ik ervoor in de plaats? Het grootste ongelukje dat me kan overkomen.'

'Wat betekent dat?'

'Dat betekent dat ik voor Kerstmis moet veranderen in een degelijke huisvader.' Hij trok aan het lichtkoord. Zijn voetstappen verwijderden zich naar de deur. 'Het ziet ernaar uit dat jij en ik in de problemen komen. Zullen we ons samen staande zien te houden, in weer en wind?'

Salty zei niets. Hij bleef luisteren tot Hardy's voetstappen wegstierven in het vloerkleed boven aan de keldertrap. Toen stond hij op; hij pakte de kakkerlak en stopte hem onder zijn kussen voor als hij hem in de nacht zou willen aanraken.

6

Ma kwam de volgende morgen in de keuken en ging de worst braden. Salty begreep dat er niets van terecht zou komen op het moment dat ma en Babe voor het fornuis tegen elkaar opbotsten en een rauw ei in de havermout vloog.

'Haal haar en die stok hier weg voordat ik mijn nek breek,' beval Babe op gedempte toon. Ze had weer haar cementen gezicht. 'Je kunt haar beter zeggen waar het op staat, Salty. Anders zal ik het doen.'

Ma bedekte de schaal met eieren met een theedoek, zoals ze thuis altijd deed om de vliegen van de dingen af te houden. Hij troonde haar mee naar buiten om naar de tuin van Babe te gaan kijken. 'Ze is alleen maar eenzaam, anders niet,' zei hij behoedzaam tegen Babe. 'Ze is niet gewend in haar dooie eentje in een kamer te zitten. Ze is gewend het eten klaar te maken.'

'Nou, daar kan ik niets aan doen,' zei Babe. 'Of wel soms?' Haar ogen ontweken hem, even behoedzaam als de zijne.

Hij wist niet wat hij moest doen. Hij keek naar buiten naar ma en ging weer naar de eetkamer waar ze zaten te wachten. Tom was bezig koffie in te schenken. Hij zag er landerig uit, alsof hij de hele nacht onder zijn bloemkelk wakker had gelegen.

Hardy zag er ook moe uit, maar hij lachte Salty vluchtig toe en zei: 'Goeie genade, wat een stelletje slappe tinussen zijn we vanochtend.' Hij had over een van zijn tanden een namaakgouden kroon geschoven, maar niemand keek op om hem te zien schitteren. 'Babe, ik weet een reuzegoeie cafémop, moet je horen.' Babe nam een slok koffie met een gezicht of het een vies drankje was. 'Een mop over een boertje van buten?' vroeg hij rond. 'Over een handelsreiziger, een sappige, rake of gloednieuwe mop?'

Tom nam twee gebakken eieren van de schaal. 'Ik zal jou eens een mop vertellen. Het ziet ernaar uit dat het gaat regenen op die zeef van een dak van ons. En de rekening voor het legen van de beerput moet betaald worden.'

'Tom, niet onder het eten,' zei Babe.

Hardy stak zijn hand in zijn zak. Hij leunde over de hoek van de tafel en prikte een celluloid speldje met de tekst *Het is niet fijn om arm te zijn* op Toms borstzakje.

Babe lachte ondanks zichzelf. 'Waar haal je die malle dingen vandaan?'

'Hij heeft een complete catalogus,' antwoordde Rose Ann in zijn plaats. 'Hij bestelt tonnen van die dingen. Tonnen.'

'Ik dacht dat hij platzak was,' zei Tom. 'Te platzak om huur te betalen.'

Hardy keek naar de gezichten om de tafel. 'Hoe heb ik het nou? Je weet dat er geld op komst is.' Hij tilde zijn gebroken arm op.

'Hoe heb je hem gebroken?' vroeg Salty onbedachtzaam.

'Ik ben van een kerk gevallen.' Hardy probeerde de groezelige watten onder de spalk terug te duwen om te kunnen krabben. 'Ik was de toren aan het schilderen en nam toen een duikvlucht van het dak. Ik probeerde op een diaken te landen maar die ontweek me. Misschien wilde God me een lesje leren.'

Salty slikte zijn gegiechel in toen niemand lachte. Wat vonden ze er verkeerd aan dat Hardy zijn laatste geld uitgaf aan trucs en grappen? Lachen en je zorgen vergeten was voor mensen net zo noodzakelijk als eten. 'Je kunt met een gebroken arm nog heel wat doen,' zei hij om te troosten. Hij moest plotseling denken aan de baby die op komst was en kreeg een kleur. Rose Ann ook.

Hardy viste nog een speldje uit zijn zak op en plakte het op het bovenstuk van Salty's overal. Het luidde *Afzwaaien, jochie.* Maar zijn valse tand glom toen hij met een blik van verstandhouding grinnikte.

Terwijl Salty aan het opruimen was, gluurde ma vanaf de veranda naar binnen. Toen ze zag dat hij alleen was, kwam ze de keuken in en nam ze hem de zeperige droogdoek uit handen. 'Dat kunt u misschien beter niet doen, ma,' zei hij.

Ze ging borden afdrogen, waarbij ze hier en daar hardnekkige, maar goed gewassen restjes ei liet zitten. 'Ik wil het graag. Ik wil hier niet alleen maar een blok aan het been zijn. Er zijn dingen die ik kan doen. Ga Tolly voeren en laat mij aan het werk.'

Hij bleef naast haar staan en wilde zeggen: Wanneer je vierentachtig bent, ligt het voor de hand dat de mensen iets voor jóú doen. Maar hij zette het ontbijt klaar dat hij voor haar had bewaard en ging. Hij stond even naar het dak te kijken. Thuis had hij herhaaldelijk het dak opgelapt. Met een ladder zou hij erop kunnen klimmen om de zaak op te nemen.

De sproeier stond aan in de zijtuin. Salty stuurde Tolly eronderdoor en liet hem het natte gras plukken. Babe kwam van de voorveranda om het huis, maar keerde snel op haar schreden terug toen Tolly met uitgestrekte hals op haar afstormde. 'Jaag die dinges weg,' riep ze, veilig op de veranda. 'Ik heb geen boenwas meer en Tom is er niet. Je moet gauw wat gaan halen.' Ze hield een bus omhoog. 'Deze soort en het geld ligt hier op de balustrade.' Zij en Tolly keken elkaar woedend aan. 'Ksh!' Tolly schudde een regen van waterdruppels van zich af en velde met één hap een hoge lelie voordat Salty het geld kon pakken en hem weer achter zijn omheining kon drijven.

De dichtstbijzijnde winkel in huishoudelijke artikelen lag achteraf in een vervallen buurt van de stad, aan de lijzijde van de lijmfabriek. Toen hij langs de ijsloods kwam, zag hij een bord met HULP GEVRAAGD, maar er was geen schijn van kans dat ze hém zouden aannemen om ijsstaven van honderd pond in de auto's van klanten te hijsen. In de hoek van een schutting zag hij een honkbal liggen die hij tegen de muren liet stuiteren terwijl hij verder liep, totdat de bal terugketste van een houten luifel en de rug raakte van een vrouw die langzaam voor hem uit liep.

Hij dook ineen. De vrouw bleef midden op het trottoir staan en gooide haar hoofd met een ruk van voren naar achteren. De bal rolde verder in de stille straat. Ze keek ernaar en toen naar Salty. Tot zijn ontsteltenis sloeg ze haar handen voor haar gezicht en begon ze te huilen.

Hij stond op het punt om ervandoor te gaan, maar hij bleef staan. Ze was plotseling naar een uitgebrand café met een gebroken raam gewankeld. Hij keek verbaasd toe toen ze zich neerliet op de bakstenen vensterbank en haar handen tegen het verkoolde hout en de glassplinters drukte die erop gevallen waren.

'Het was niet mijn bedoeling u te raken,' gooide hij er op veilige afstand uit.

Ze leek versuft. Toen ze haar tranen afdroogde, liet haar zwart geworden hand onder een van haar ogen een veeg na. 'Je hebt me geen pijn gedaan,' zei ze. 'Ik was... ik ben er alleen maar van geschrokken.'

Ze had een hese stem. Haar korte haar en sproeten zouden haar het uiterlijk van een jongen gegeven hebben als haar middel niet was opgezwollen zoals dat van Rose Ann het tegen december zou zijn. Het leek wel of ze de hele nacht langs de straat had gelopen, maar hij dacht niet dat zulke meisjes vaak baby's kregen.

Ze vroeg: 'Hoe ver ben ik van een hotel af?'

Hij haalde zijn schouders op om te zeggen dat hij het niet precies wist. Het enige dat hij wist was dat hij voor Babe boenwas moest halen, maar de wanhoop in haar ogen weerhield hem.

'Zou je me de weg naar een hotel kunnen wijzen?' Ze hees zich moeizaam overeind. 'Ik geloof dat ik ergens moet gaan liggen.' Ze zweeg en keek hem aan om te zien tegen wie ze dit allemaal zei. Om haar ogen zaten donkere kringen, ook om het oog zonder de roetveeg. Ze keek om toen er een auto door de stille straat reed en liet zich ineens een snik ontvallen die een kort lachje of een teken van verdriet kon zijn.

'Ik heb nogal haast,' zei Salty bedremmeld. 'Als ik u wees hoe u in het centrum van de stad moet komen, zou u misschien...'

Ze zag er plotseling zo moe uit dat hij bang was dat ze zou vallen. Hij vroeg zich af of hij haar arm moest pakken voordat ze om zou vallen en een platte pannekoek van haar baby zou maken.

'Hebt u honger?' vroeg hij. 'Wanneer hebt u het laatst gegeten?'

Ze keek hem opnieuw onderzoekend aan. 'Gisteren, om twaalf uur. Later, toen ik mijn kaartje had gekocht, besefte ik dat ik geen geld meer over had.'

Salty begreep geen steek van wat ze zei, maar hij verzamelde al zijn moed. 'Ik werk in een pension. Ik kan zorgen dat u wat te eten krijgt, heel wat dichterbij dan een hotel. Gratis,' voegde hij eraan toe met een blik op haar tasje waar niets in zat naar ze zei.

'Dan werk je zeker voor aardige mensen.' Ze keek hoe een luchtstroom in het uitgebrande gebouw grijze as opwoei en tegen de zwarte stompen van onherkenbare dingen joeg. Ineens zette ze zich naast hem in beweging; wijdbeens gaand hield ze haar vrachtje onzeker in evenwicht.

Hij vermoedde dat hij weer te ver was gegaan. Maar hij kon nu net zo goed voor alles tegelijk ervan langs krijgen – voor Tolly en voor het feit dat hij dat gemene kind had omgegooid en dat hij Tom en Babe met zijn komst had overvallen en een vreemde meebracht om gratis te eten. 'Woont u hier in de buurt?' vroeg hij haar.

Hij was al een paar meter verder gelopen voordat hij merkte dat ze hem niet volgde. Hij ging naar haar terug. Haar gezicht was klam van angstzweet. 'Kansas City,' zei ze.

Hij kon niet uit haar wijs worden, maar hij wachtte en keek net als zij naar de volgende auto die voorbijkwam. Ze waren weer een huizenblok gevorderd toen ze ineens schuin de straat overstak. 'Hé, dame!' Hij haalde haar in. Ze maakte weer van die snikkende geluiden die, naar hij nu zag, van pijn waren. 'Dame?' Ze liep sneller en struikelde bijna over een stoeprand.

'Ik kan niet met je mee. Zonder geld. Ik zou niet...' Ze veegde weer haar gezicht af waardoor ze er nog meer roetstrepen op achterliet.

'Maar, dame, luister. Wacht even. Waar kunt u heen?'

Ze hield in. Haar handen beefden even erg als haar adem,

maar ze stak haar kin vastbesloten vooruit. 'Ik weet het niet.'

'Nou, eet dan eerst en beslis daarna,' vleide hij. Ze aarzelde. Er was iets in haar gezwollen buik dat klopte. Het bewoog echt. Salty knipperde met zijn ogen. Zoiets had hij nog nooit gezien. Nog voordat hij zich kon bedenken zei hij: 'Mijn vriend krijgt ook een baby.'

Ze legde haar hand op de plek die had bewogen. 'O ja?'

'Ja. Ik bedoel – zíj krijgen een baby, maar híj is mijn vriend.' Hij zag nog iets anders. Ze droeg een trouwring. Hij zei voorzichtig: 'Is er iemand die ik kan halen om u te helpen? Uw man of iemand anders?'

Ze bedekte die hand met de andere. Haar gezicht werd bleek onder de roetvlekken. 'Mag ik je arm vasthouden?' Ze stak haar hand naar hem uit. 'Weet je een kortere weg?'

Hij pakte haar elleboog en voerde haar zo snel mogelijk naar een steeg. Die kwam uit op de straat waar de Buckley Arms was, vijf blokken verderop. Haar hand klampte zich als een enterhaak aan hem vast.

Ze was werkelijk getikt. Naar ze zei had ze al haar geld uitgegeven om naar Wickwire te gaan en nu wist ze niet waarom ze er was gekomen.

'U haalt het wel,' verzekerde hij haar toen haar stappen langzamer werden.

'Doe mijn best,' fluisterde ze. 'Zo warm. Is het ver?' Zonder op antwoord te wachten zakte ze door haar knieën en viel ze tussen twee rammelende vuilnisbakken op de grond.

Tom en Hardy hadden haar naar de kamer op de bovenverdieping gedragen, ieder aan een kant, zoals ze haar ook in Toms auto hadden geholpen toen ze in de steeg waren aangekomen. Ze deed juist een poging om op de been te komen toen Salty van de achterbank sprong en riep: 'Wacht – wij zijn het!'

Babe kwam uit de kamer met een blad lege schalen en sloot de deur. Ze wachtten onder aan de trap. 'Ze slaapt,' zei ze tegen hen.

Salty voelde aller ogen op zich gericht. Hij had hun alles

al verteld wat ze hem verteld had. 'Ik denk dat ze zich nu veilig voelt.'

'Dat ontbrak er nog maar aan,' zei Tom. 'Dat we verwikkeld raken in iemands familieproblemen. Ik vind toch dat we de politie moeten waarschuwen.'

'Maar als ze nu niets heeft gedaan...'

'In mijn ogen heeft ze wel iets gedaan. Ze is van haar man weggelopen. Hij heeft er recht op te weten waar ze is.'

Babe zei: 'Tom, ze heeft me gevraagd het aan niemand te zeggen. Dat bleef ze steeds maar herhalen, roep alstublieft niet een dokter of iemand anders. En ik heb beloofd dat ik het niet zou doen.'

'Natuurlijk.' Hij zuchtte. 'Nu moet je míj wat beloven. Dat ze goed en wel verdwenen zal zijn voordat we een baby of een woedende echtgenoot op ons dak krijgen. Of alle twee.'

Babe legde haar vingers op haar lippen, maar er glipte nog een mededeling langs. 'Ik heb in haar tasje gekeken. Het is leeg, nou ja. Drie stuivers. En ze heet Miller, getrouwd met Kell Miller, uit Kansas City.'

'Babe, je mag niet in de tasjes van anderen kijken.'

'Nou, ik heb geen zin een kamer aan een oplichtster te geven.'

Tom zei: 'Lieveling, je leest te veel blaadjes. Haar man zoekt waarschijnlijk op dit moment de hele stad af om haar te vinden. Misschien is ze...' Hij stond op het punt om met zijn vinger een draaiende beweging tegen de zijkant van zijn hoofd te maken, maar zijn ogen vingen Salty's blik op en hij liet zijn hand zakken.

'Ze is niet gek,' zei Salty kalm. Ze had op gebroken glas gezeten, maar dat moest ze zelf weten. 'Ze had alleen maar honger en zat ergens over in.'

Hardy zei: 'Als ik eens bij het politiebureau ging rondneuzen om te kijken of er iemand op zoek is naar weggelopen dames?' Tom haalde berustend zijn schouders op. 'Ga je mee, Rosie?' Hij wendde zich naar Rose Ann, maar die was verdwenen.

'Mag ik mee?' vroeg Salty.

'Nee,' zei Tom. 'Nog zo'n uitstapje en je brengt een zieke kat en twee ontsnapte boeven thuis om voor te zorgen. Ga die verdomde ganzerik wat groenvoer geven.'

Toen Salty langs Babe stommelde, stak ze het blad uit om hem tegen te houden en liet ze haar hand in de zak van zijn overal glijden. Een afgrijselijk ogenblik dacht hij dat ze controleerde of hij ondergoed aanhad, maar ze haalde het geld te voorschijn dat ze hem had gegeven en zei: 'Hardy, als je toch die kant uit gaat, haal dan de boenwas voor me.' Ze keek naar boven. 'Het zou misschien goed zijn als er iemand een tijdje bij haar zat. Je kunt niet weten. Rose Ann, liefje...' Net als Hardy keek ze om zich heen.

'Ze is buiten op de veranda, waar het koeler is,' zei Hardy.

'Ik wil wel bij haar gaan zitten,' bood Salty aan. Niemand hoorde het.

Babe vroeg: 'Is er iets dat Rose Ann dwars zit?'

Hardy trok een zuur gezicht. 'Ze is een beetje van streek, denk ik. Nu ze ziet hoe ze er over een maand of zes bij zal lopen.'

Het gezicht van Babe zwol als een volle maan. 'Ik wist het. Ik heb het tegen Tom gezegd.' Ze trok Hardy in haar armen. 'O, het is geweldig. Ik ben er helemaal van onderste boven. Een baby.'

Tom trok Babe los zodat Hardy kon ademen. 'Pas op dat hij je niet weer bij de neus neemt, Babe. Misschien heeft hij hem wel besteld uit die grappen- en trucscatalogus.'

Salty's verbeelding maakte zich onmiddellijk van die gedachte meester. Een exploderende baby. Of nee, een die smolt wanneer je hem waste, of een die eigenlijk een ballon was die je kon laten leeglopen en in een la kon stoppen als hij huilde.

'Mag ik Rose Ann gaan zeggen dat we het weten?' vroeg Babe.

Hardy kreeg een kleur. 'Later misschien. We hebben nogal een moeilijke nacht gehad. Nadat ze het had verteld. De hele tijd gepraat.'

'Gemengde gevoelens?' zei Tom op zorgvolle toon.

'Variërend tussen woede en wanhoop. Hoe het kon gebeuren, terwijl we steeds zo verdomd voorzichtig waren, gaat boven mijn pet. Maar het is gebeurd.'

'O, Hardy,' zei Babe. 'Daar moet je niet boos om zijn. Het is het beste dat er kon gebeuren.'

'O, zeker. Als je huwelijk in moeilijkheden verkeert, hoef je het alleen maar gecompliceerder te maken en dan komt alles prima voor elkaar. Heel logisch, Babe. Maar het valt me op dat jullie beiden nooit júllie leven gecompliceerder hebt gemaakt door...' Hij zweeg plotseling, inziende dat hij een verkeerde wending had genomen.

'Door kinderen te krijgen?' voltooide Babe. De maan van haar gezicht gleed achter een wolk.

'Ik heb haar zo vaak gezegd, één baby is alles wat ik wil,' zei Tom terwijl hij een andere kant uitkeek. 'Eén, Babe.'

'Niet dat we het niet geprobeerd hebben.' Babe krulde haar zachte mond tot een glimlach. 'Misschien was het niet voor ons weggelegd.' Ze zag Salty en gaf hem een duwtje met haar blad. 'Goeie help, doe wat Tom je gezegd heeft en ga je eend voeren.'

7

Het doen van de afwas had ma geweldig veel goed gedaan. Terwijl Salty haar vertelde over de mysterieuze gast die hij mee naar huis had genomen, zat ze maar te knikken en te glimlachen, ook op verkeerde momenten. Toen begon ze in haar zak te rommelen en met haar stok door de kamer te strompelen terwijl ze mompelde: 'Geen koffer of iets? Wat kan ik haar geven?' Ze trok een lege la open. 'Het is om dol van te worden. Er is niets meer. Ik ben niet meer mijn eigen baas.'

'U zou voor haar kunnen bidden,' stelde hij voor.

'Is het zo erg?'

'Het kan nooit kwaad.'

Ma trok hem aan zijn oor en zei: 'Je bent een kleine heiden. Maar dat neemt niet weg dat je weet wat iemand toekomt. En de goede God wist wat Hij deed toen Hij jou de straat in stuurde waar zij was.'

Tom was Salty al half in de gang gepasseerd, maar hij hield in en vroeg of hij ooit met een grasmachine had gewerkt. Dat had hij niet, maar het leek hem leuker werk dan aardappels schillen en dus zei hij: 'Ik geloof van wel.'

'Beproef dan maar eens je krachten op het gras voor het huis,' zei Tom en hij haastte zich voort.

Salty ging door de voordeur naar buiten; hij bleef even staan om te kijken of hij de vorige avond de buldog had beschadigd, maar er hadden zo veel strompelende voeten tegenaan gestoten dat hij er niets van kon zeggen. Buiten op de veranda stond Hardy gebogen over Rose Ann op de schommel en zei: 'Wat bedoel je? Ik heb helemaal niet gezegd dat ik boos was. Als ik het al ben, is het op het lot, niet op jou. We hebben ons best gedaan. Niet waar?'

'Dat weet ik,' zei ze. 'Dat weet ik, maar toch...' Ze sloeg haar armen om zijn nek als iemand die gered wordt. 'Je was zo gelukkig zoals we het hadden. Dat bedoelde ik alleen maar.'

De grasmachine stond midden op het grasveld, waar Tom hem had laten staan toen al die opwinding begon. De vangzak was vol en daarom maakte Salty hem leeg in Tolly's perk. Terwijl hij maaide, zaten de kinderen van de overkant elkaar met een tuinslang achterna. Ze zagen er zo koel uit met hun geplakte haren en hun natte, glimmende huid, dat zijn tong omkrulde als gebakken spek. Ze scheerden langs, stelden zich aan en deden of ze hem niet zagen. Hij hoopte dat het rossige meisje even kort van memorie was als van postuur.

Tom kwam weer voorbij, nog steeds zo druk bezig dat hij geen tijd had om Salty's blik op te vangen. Hij zei kortaf: 'Je moet het zelf weten, maar je hoeft niet iedere tak en steen en natte Eversole te vermalen die je tegenkomt.'

Salty verwijderde de twijgjes die de machine klem zetten en ratelde verder. Even later wikkelde zich een stuk touw om de as.

Tom duwde hem met een geërgerd gebaar opzij en sneed met een glad afgesleten zakmes het touw door. Zijn handen met hun grote gekromde knoken trilden. 'Wat kun je volgens jou nog meer? Kun je de veranda en het trottoir schoon spuiten zonder een half dozijn kostgangers te verdrinken?'

'Welk half dozijn kostgangers?' vroeg Salty, aangestoken door Toms sarcasme. Hij kwam wel van de rivier en had nooit met grasmachines of tuinslangen gewerkt, maar hij hoefde zich niet voor aap te laten zetten. Voordat hij het wist zei hij: 'Ik doe mijn best om de dingen goed te doen. En me aan je voorschriften te houden. Waarom heb je een hekel aan me?'

Tom klemde zijn lippen op elkaar en ging maaien.

Terwijl Salty de tuinslang naar de veranda bracht, zaten Hardy en Rose Ann nog op de schommel te fluisteren. Ze tilden hun voeten op toen hij een golf water over de vloer plensde. Om de verste hoek te kunnen bereiken gaf hij de slang een ruk, maar deze bleef achter de verandatrap steken en een zigzaggende straal trof Hardy tussen de schouderbladen.

'Oeiii!' gilde hij. Rose Ann sprong op. Salty zwiepte de

slang naar de andere kant om niet ook haar drijfnat te maken en begoot toen door een open raam het tapijt van de salon. Zonder geluid te geven stond Hardy krom van het lachen. Daarna deed hij net of hij een paraplu openvouwde en onder de onzichtbare bescherming daarvan geleidde hij Rose Ann naar binnen.

Salty deed de rest van de vloer met de Franse slag en spoot het losse gras over het trottoir naar de goot. Toen hij opkeek, stonden de natte kinderen hem gade te slaan. Degene die Idalee heette kwam op hem af terwijl er een spoor van druppels uit de broek van haar badpak droop.

'Denk erom dat je me niet nat spuit,' waarschuwde ze. Salty stuwde het water naar de goot en naderde voorzichtig haar benen die bedekt waren met kippevel. Opgewekt vroeg ze: 'Ben je een bastaat?'

Hij nam zijn duim van de slang om beter te kunnen horen. 'Wat?'

'Mijn moeder zegt dat je de bastaat van die dienstbode bent en dat ik niet met je mag spelen.' Ze had haar stem verheven om hem ter wille te zijn en haar woorden bonkten in zijn hoofd als steentjes in een ketel. Hij voelde water in zijn schoen lopen, maar hij kon zich niet verroeren. Hij wist wat ze wilde zeggen. Een jongen op school had hem zo genoemd en een paar losgeslagen tanden opgelopen. Hij wist niet wat hij moest doen wanneer het een meisje was, maar hij stond op het punt om erop los te slaan.

Juist toen hij de slang liet vallen en zijn vingers tot een vuist balde, zei Tom van het erf naast het huis: 'Idalee, laat hem met rust. Hij is bezig.'

Ze draaiden zich alle twee met een ruk om, geschrokken omdat ze werden betrapt. Niets in Toms gezicht wees erop dat hij even scherp had geluisterd als gekeken.

'Wat is een bastaat?' pareerde ze.

'Dat woord bestaat niet,' zei Tom. 'Smeer 'm.'

Zo elegant als ze kon in haar druipende badpak draaide ze zich met een zwier om en ze ging naar de anderen aan de overkant van de straat. Tom sloot Salty's slang af.

'Dat woord bestaat wel,' zei Salty terwijl hij zijn arm over de kramp hield die het in hem veroorzaakte.

Voor de eerste keer keken ze elkaar werkelijk in de ogen en ze bleven elkaar aankijken, even strak als Indiaanse worstelaars, en hij wachtte tot Tom zou gaan grinniken en er een grap van zou maken. Maar Toms ogen, die diep in hun kassen als putwater de hemel weerspiegelden, hielden hem net zo lang in een nauwlettende, boze blik gevangen totdat hij een andere kant opkeek. 'Dat woord bestaat niet,' zei Tom. 'Maar ze was er dichtbij.' Hij duwde de grasmachine verder naar een andere strook.

'Ik wil de naam hebben waar ik recht op heb,' zei Salty.

Tom bleef stilstaan. Zonder zich om te draaien zei hij: 'Je hebt een goede naam. Je moeder heeft je een naam gegeven waarop je trots kunt zijn.'

'Ik wil zijn naam hebben,' zei Salty. 'Ook al vond hij me niet de moeite waard. Ze moeten het inschrijven in het gerechtsgebouw of iets dergelijks. Wanneer iemand geboren is.'

'Nee, dat hoeft niet,' zei Tom tegen het gras. 'Je moet niet zo doordrijven, Salty. Registers zijn dode dingen – ze kunnen nooit alles vertellen.' Hij boog zich weer over de grasmachine.

Babe kwam aan de voordeur en wenkte Salty naar binnen om te helpen met het eten. Hij trachtte erachter te komen of ze hen had gehoord, maar ze wees hem alleen maar terug naar de keuken, waarbij ze haar vette vingers koket gespreid hield.

Toen hij later de afwas deed, zag hij Hardy terugkomen uit de stad. Hij wilde hem vragen wat hij te weten was gekomen, maar tegen de tijd dat hij klaar was, was Hardy verdwenen. Toen hij bij ma ging kijken, zat ze te slapen in haar stoel, die ze met een hand op iedere armleuning tot in haar dromen bestuurde. Het aanhoudende geratel van de grasmachine drong door de gordijnen heen en daarnaast Toms kuchen, als het gesjirp van een krekel.

Het leek een goed moment om te gaan kijken hoe het met de vreemde dame ging, maar toen hij op zijn tenen de trap op liep, vond hij bovenaan Babe, die de vloer van de gang in de was zette. Ze legde hem met haar vinger het zwijgen op en schudde haar hoofd. Achter de gesloten deur van hun kamer vroeg Hardy's stem luid: 'Waarom niet?' en de stem van Rose Ann antwoordde geprikkeld: 'Daarom!' Ze liet het klinken als het definitieve antwoord op iedere vraag die ooit was gesteld.

Babe droeg hem op het versleten, oorlogsschip-grijze linoleum in de badkamer te boenen. Aan de overkant waren de Eversole kinderen iets aan het zoeken. 'Word ik al warmer?' 'Stommerd, zo dadelijk brand je je hand nog.' Die Idalee – hij had haar meteen door de goot moeten spoelen. De hele straat af tot in het riool. 'Nu word je koud. IJzig.' Hij boende harder en stootte zijn hoofd tegen de buizen van de wastafel. Beneden in de straat huilde een stemmetje: 'Ik vind dit spelletje helemaal niet leuk!'

Die avond kwam Babe beneden met een blad onaangeroerd eten en ze zei: 'Ze slaapt nog steeds. Ik heb het kleine lampje aangedaan, zodat ze niet schrikt als ze wakker wordt.'

'Hoe weet je dat ze je niet voor de gek houdt?' vroeg Tom.

'Jij leest te veel kranten,' zei Babe. 'Al die liefdesnestjes en rijke ouwe snoepers en moorden in jeneverstokerijen. Ze is doodgewoon moe.'

Tom ging naar bed, maar Salty kon geen rust vinden. Was het mogelijk dat ze hen beetnam terwijl ze zo oprecht leek? Hij sloop naar boven en probeerde de deur die uitkwam op de bovenste veranda waar hij voor het eerst Hardy had gezien. Iemand had de deur op slot gedaan, waarschijnlijk om de matras te houden waar hij thuishoorde. Salty zuchtte en klom langs het latwerk van de wingerd naar boven, zoals hij al eerder had gedaan. Ze lag nog steeds in het schijnsel van de lamp te slapen, als een hooiberg in een besneeuwd veld.

Toen hij voor haar raam hurkte en het vlechtwerk van de horruitjes in zijn neus drukte, draaide ze zich om en sloeg ze haar ogen op. Direct daarop viel haar mond open met een geluidloze schreeuw. Salty stak zijn handen omhoog, alsof hij haar aan het verstand wilde brengen wie hij was; maar ze klom zo onstuimig uit bed dat ze het tafeltje met lamp en al omgooide. De kamer werd donker toen de gloeilamp brak.

Hij hoorde haar adem stokken en toen een klop op de deur en de stem van Hardy die zei: 'Is alles goed met u?'

Haar deur ging open. Er vloog iets door de lucht naar toe. Het volle licht van de bovenlamp ging aan. Hardy, met zeep en handdoek in de holte van zijn arm, stond klaar om te bukken en deed tegelijkertijd zijn best om in niets dan zijn ondergoed en mitella er resoluut uit te zien. Er lag een kussen aan zijn voeten en ze stond op het punt om er nog een te gooien.

'Neem me niet kwalijk. Ik was alleen maar bang dat u was gevallen...' Hij volgde haar scherpe blik naar het raam. 'Dat moet Salty zijn.' Hij liep zijdelings door de kamer, terwijl hij probeerde zijn handdoek om zich heen te slaan, en deed de hor van het haakje.

Salty draaide gedwee de hor op zijn scharnieren naar buiten en kroop door het raam. Hij zette de lamp en de tafel recht. 'Ik wilde alleen maar zien of alles goed met u was,' mompelde hij, ondertussen de scherven van de gloeilamp oprapend.

Ze maakte dat hikkende geluid bij wijze van een lach en legde langzaam het tweede kussen neer. 'Jij bent het. Nu zie ik het. Ik wist niet dat ik was omringd door mensen die het goed menen.' Ze richtte zich tot Hardy. 'Het spijt me dat ik u heb geraakt. Het was allemaal zo plotseling, ik zag een gezicht...' Onverwacht raakte ze Salty's wang aan.

'Om je een ongeluk te schrikken, zelfs in het donker,' gaf Hardy toe en hij grinnikte toen Salty verlegen zijn hoofd terugtrok. 'Alles oké met u?'

'Ja.' Ze streek met een onzeker gebaar haar jurk glad. 'Alleen maar zo slap als een vaatdoek, dat is alles.'

'U moet weer wat eten,' zei Salty met warme gevoelens voor haar, omdat ze niet boos was. 'Ik zal u wat brengen.'

'Nee, heus,' zei ze. 'Ik ben niet invalide, weet je – alleen maar een ongenode gast. Kan ik niet stilletjes naar beneden gaan om in de keuken wat cornflakes te zoeken of zoiets?'

'Dat is niet de manier om een flinke baby te krijgen,' zei Hardy. 'We zullen een echt maal voor u opwarmen zonder iemand wakker te maken.' Hij trachtte met één hand de sprei van haar bed om zijn schouders te wikkelen, op de manier van een Indiaanse deken, maar hij kon het niet. Ze wachtte even, lachte toen bijna opgelucht en hielp hem bij het draperen. Ze volgden hem doodstil de trap af. Salty was bang dat ze Hardy zou vragen of hij de toekomstige vader was over wie Salty zijn mond voorbij had gepraat, maar ze klopte achter Hardy's rug op haar buik en wees toen vragend naar hem. Salty knikte opgelucht.

Hardy trok in de keuken geluidloos de gordijnen dicht en maakte soep warm. Ze gaven haar overgebleven kip te eten en tapiocapudding en pruimen en maïsbrood. Daarna namen ze alle drie appeltaart en melk. Alsof ze een ritueel hadden afgesloten dat hen in vriendschap had verbonden, zei ze met zachte stem: 'Ik ben Jo. Jo Miller.'

'Geen familie van de Joe Miller van het moppenboek, neem ik aan,' zei Hardy, ook zacht. 'Ik ben het Grote Opperhoofd Hardy McCaslin en je weldoener is Salty Yeager. Welkom in de Buckley Arms.'

Ze keek rond. Uitgerust en gevoed zag ze er nog jonger uit dan eerst. De angst was uit haar ogen verdwenen. 'Salty,' herhaalde ze. Ze legde haar hand aarzelend op de zijne. Tot zijn verbazing liet hij het toe en hij bedacht hoe anders haar hand nu was dan de enterhaak die hem 's morgens had omklemd. 'Bedankt voor je hulp.'

'We hebben behoorlijk in de rats over je gezeten. We dachten dat je een miskraam zou krijgen.' zei Hardy. 'Overigens, hier in de stad is niemand je aan het zoeken. Ik heb het nagegaan.'

Haar vingers trokken zich langzaam terug en veegden de kruimels bij elkaar. 'Ik waardeer wat iedereen heeft gedaan. Ik hoop dat ze begrijpen dat ik ervoor zal betalen.' Ze haalde diep adem. 'Wanneer ik dat kan.'

'Daar zitten we niet over in, Jo. Salty zegt dat je uit Kansas City komt.' Hij wachtte, daar hij niet op een verklaring wilde aandringen voordat ze eraan toe was.

Ze lachte Salty flauwtjes toe, alsof ze zich wilde verontschuldigen voor grotemensen-aangelegenheden. 'Ik moet me vanmorgen gedragen hebben als iemand uit een gekkenhuis. Ik was zowat aan het eind van mijn Latijn. Als jij er niet geweest was...' Toen zweeg ze lange tijd, zich afvragend of ze haar geheim voor zich moest houden.

'Ik heb ook honger gehad,' zei Salty zacht, om haar te helpen.

Ze keek hem onderzoekend aan. Haar gezicht vertederde, maar ze aarzelde nog.

Hardy vroeg: 'Is er iemand met wie je graag zou willen dat we ons in verbinding stellen? Zou je willen opbellen?'

'Nee,' zei ze. 'Bedankt. Nee.'

'Je ouders misschien?'

'Nee, niemand,' zei ze triest met haar onechte lachje. 'Mijn ouders hebben hun handen van me afgetrokken toen ik met een dranksjoemelaar trouwde.'

'Wat is dat?' vroeg Salty.

Hardy zei: 'Omdat alcoholgebruik bij de wet verboden is, knoeit hij ermee, snap je? Je vermengt water en suiker en graanalcohol met echte sterke drank en voilà – je hebt driemaal zo veel.'

Ze knikte, hun blikken peilend. Toen vervolgde ze aarzelend: 'Toen ik hem pas kende, toen hij drank uit Mexico smokkelde of alcohol stal uit de opslagplaatsen van de staat, vond ik dat allemaal heel stoer en romantisch. Maar dat is het niet. Het is een heel cynische, schandelijke manier om je brood te verdienen.'

'De bazen van clandestiene kroegen kopen drank van hem,' legde Hardy uit.

'Van hem of van anderen,' zei ze. Ze stond op en zette zwijgend de etensresten in de ijskast. Ze stond er een hele tijd in te kijken, zoekend naar iets anders dan eten. 'Daarvoor gingen we naar Dallas. Hij moest getuigen in een rechtszaak. Hij nam me mee. Ik durfde in mijn toestand eigenlijk niet met de auto te reizen, maar hij dacht vermoedelijk dat hij door mijn aanwezigheid enige sympathie kon winnen of wat dan ook. Nu zou ik er alles voor willen geven als ik niet was gegaan.'

Ze wachtten. Het was of ze zich samenbalde, zich gereed maakte voor een sprong, erop vertrouwend dat ze haar zouden opvangen. 'Zit je man in de moeilijkheden?' vroeg Hardy.

'Nee. Dat is het juist. Hij was getuige. Tegen een andere man. Iemand die ervan beschuldigd werd dat hij gemeen spul had verkocht. Drank die gemaakt was van houtgeest. De man moet ervoor de gevangenis in.'

Ze keken elkaar niet-begrijpend aan. Hardy zei: 'Dat lijkt me logisch.'

'Maar ik weet wie werkelijk dat spul heeft gemaakt en verkocht,' zei ze. Ze was bleek geworden. De donkere kringen om haar ogen waren als het masker van een wasbeer. 'Mijn man heeft het gedaan. Maar een andere man moet ervoor zitten. En zeven mensen, waarschijnlijk veel meer, die dat spul hebben gedronken, zullen voor de rest van hun leven blind zijn.'

'Mijn God,' zei Hardy.

Ze huiverde en sloot de ijskast. 'Toen ik hem daar rechtop in de getuigenbank een meineed zag afleggen...' Ze streek over haar buik alsof de baby luid had geprotesteerd. 'Liegend voor God en al die mensen. Ik kon het niet aanzien. Ik ben weggelopen. Eerst wilde ik in de auto wachten. Hij had een kleine Packard two-seater gekocht en daarmee waren we gekomen. Ik deed de deur al open en ineens, wetend dat die auto was gekocht met zeven paar ogen...'

Hardy pakte haar arm en bracht haar naar een stoel. Ze keken allemaal naar hun handen die op de tafel lagen als de handen van spelers met onzichtbare kaarten.

'Ik ging gewoon lopen. Bleef maar lopen. Ten slotte stond ik voor het station en ik ging naar binnen, keerde op de balie mijn portemonnaie om en zei: "Hoe ver kan ik hiermee komen?" En dit is de plaats waar ik ben uitgestapt.'

'Was dat gisteravond?' zei Hardy. 'Heb je de hele nacht door Wickwire gezworven?'

'Ik heb op een kist gezeten. Achter het station. In het donker, zodat ik kon huilen. Het was vreselijk. Ik wilde dat hij te weten was gekomen waar ik heen was gegaan en me kwam halen. En ik wist dat ik gillend weg zou lopen als hij kwam. Nog voordat hij me had aangeraakt. Hij mag me nooit meer aanraken.'

Hardy zei: 'Hoor eens, je hoeft je geen verwijten te maken voor wat er is gebeurd.'

'Maar dat doe ik wel. Ik was erbij, ik hoorde bij hem. Ik dacht steeds maar, hoe kon hij zoiets doen terwijl ik van hem hield?'

Salty sperde zijn ogen wijd open. Hij was niet slaperig, alleen maar moe, maar hij moest zich inspannen om niets te missen. Ze spraken op de zachte, gelijkmatige toon die volwassenen aannemen wanneer ze overschakelen naar de speciale taal die ze hebben geleerd in een land waar hij nog niet was geweest.

'Wat ben je van plan?' vroeg Hardy.

'Ik weet het niet. Misschien heb ik hem wel voorgoed verlaten.' Ze liet weer haar speciale lachje horen en wreef in haar ogen die vol tranen stonden. 'Ik hoop dat ik hem voorgoed heb verlaten. O, God. Wat moet ik nu doen?'

'Hier blijven,' zei Salty.

'Ik heb geen geld. Niets.'

'Er is plaats genoeg. En je eet niet veel.' Ze moest ergens wonen, net als hij. Misschien kon hij wat harder werken en ook voor haar de kost verdienen. Hij had haar gevonden en dat maakte hem op de een of andere manier verantwoordelijk.

Ze ging met een radeloos gezicht hun borden afwassen. Salty droogde. Haar gezicht deed hem denken aan die keer toen hij had besloten om te leren zwemmen en hij zijn neus had dichtgeknepen en van de steiger was gesprongen in het water dat zich boven hem sloot.

'Blijf,' zei hij.

'Waarom zou je niet?' zei Hardy lachend. 'Gun jezelf wat tijd. Rust uit. Kijk of je er dan nog net zo over denkt.'

'Ze laten je vast blijven,' zei Salty enthousiast. 'En als je baby komt, kunnen ma en ik ervoor zorgen, zodat je een baantje kunt zoeken en je eigen geld kunt verdienen...' Zijn enthousiasme zakte toen hij bedacht dat de Buckley Arms misschien verkocht zou worden en ze dan allemaal uiteen moesten gaan.

'Ik lijk wel gek,' zei ze. 'Dat ik zo mijn hart heb uitgestort. Het zijn jullie problemen niet.' Haar mond krulde zich tot het onechte lachje waarmee ze zichzelf kleineerde. 'Ik wou dat ik nu ineens heel oud en wijs was. Of weer heel jong.' Ze legde haar hand op Salty's schouder. 'Word maar nooit volwassen,' adviseerde ze.

Haar aanraking, die niets terugvroeg, was als die van zijn mamma. Hij bleef roerloos staan, alsof een vlinder hem als rustplaats had uitverkoren.

'Helaas is hij het al, noodgedwongen,' zei Hardy.

Ze keek treurig en glimlachte toen tegen Hardy in zijn sprei. 'Maar jij niet.'

'Ik doe mijn best. Morgen moet je met mijn vrouw kennismaken – ze slaapt nu.'

'Geen kinderen?' Ze wierp Salty een blik toe.

Hardy zuchtte. 'Daar doen we ook ons best voor. Om en nabij december.' Hij stond op en pakte zijn sprei en handdoek vast. Zijn zeep viel eruit en gleed op de grond. Salty keek er met grote ogen naar. Het had de vorm van een zeer roze, mollige naakte dame.

'Hij is een enorme grappenmaker,' zei hij vlug, opdat ze het zou begrijpen.

'Of een enorme grap,' zei Hardy.

'Ik houd van enorme grappen,' zei Jo Miller. Ze wikkelde de handdoek op dezelfde manier om de roze dame als ze de sprei om Hardy gewikkeld had. Ze zette haar problemen van zich af en hief haar hoofd op naar de duisternis buiten. 'Ik hoor een ganzerik.'

'Dat is Tollybosky,' zei Salty, verheugd dat ze het geluid kende.

'Wat een goeie longen. Houden de Buckleys ganzen?'

'Nee, hij is van mij. Ik heb hem gisteren meegebracht. Hij is nog een beetje onwennig.'

Ze keek hem met haar vermoeide gezicht lang en aandachtig aan. Op haar kousevoeten was ze precies zo groot

als hij. 'Ben je pas gisteren gekomen? Om hier te wonen?'
Hij kreeg het warm onder haar blik. 'Nou ja, alleen maar tijdelijk. Ze vinden het goed omdat mijn mamma hier zo lang heeft gewerkt.'
'En ga je haar nu helpen?'
Hij begreep dat ze haar best deed om vriendelijk en belangstellend te zijn, maar hij wist niet hoe hij moest antwoorden. 'Dat kan niet. Ze is gestorven.'
'O, God,' zei ze. 'Dat was dom van me. Ik had moeten begrijpen dat het zoiets was.'
Hij probeerde zijn gezicht glad te trekken, opdat haar blik eraf zou glijden. 'Je kon het niet begrijpen. Je wist er niets van.'
'Dat is waar. Maar ik had moeten nadenken. Ik ga zo in mezelf op dat ik niet meer weet hoe ik de gevoelens van anderen moet peilen.'
'Je zou van zijn moeder gehouden hebben,' zei Hardy. 'Zelfs toen ik jonger was en hier op bezoek kwam – Babe is mijn tante – zat ik vaak naar Salty's moeder te kijken. Omdat...' Hij trachtte het onder woorden te brengen. 'Ik geloof dat ze letterlijk het goede, of de liefde of hoe je het noemen wilt in iedereen zag. Zoals men zegt dat zigeuners een fluïdum om iemand heen zien. Het was alsof wat zij zag de ware mens was en wat wij zien...' Hij haalde zijn schouders op, niet bij machte het uit te leggen.
Jo draaide zich om en keek Salty onderzoekend aan met ogen die tintelden in haar onbeweeglijk gezicht. 'Je lijkt vast heel veel op haar, Salty. Ze heeft zeker haar wondergave aan je doorgegeven.'
Hij kromp in elkaar, met stomheid geslagen door zijn eigen herinnering, die zo anders was dan van Hardy. De bruine haarvlecht van zijn mamma, die kwispelde als van een vrolijk jong hondje. Over haar schouder, warm in zijn hand als hij ging slapen. Maar het ging voorbij en hij zei: 'Nee. Ik zie alleen maar doodgewone mensen.'
Ze bleef rustig glimlachen. 'Nee, jij kijkt ook met liefde.'
Hij kromp nog verder in elkaar om haar woorden af te schudden, evenals de woorden van zijn mamma die ver-

frommeld tot een knikker aan de kant van de weg lagen. Ze zei: 'Je kon niet anders, vanmorgen. Toen je me uit de nood hielp. Ik voelde het toen ik hier boven in slaap viel, veilig in de Buckley Arms.'

Ondanks zichzelf sprong zijn hart op van blijdschap. 'Betekent dat, dat je vast van plan bent te blijven?'

'Je geeft het niet op, hè?' Ze hikte weer op haar zenuwachtige manier. 'Ja, ik blijf als ze het goedvinden. Totdat...' Ze oefende een van haar nieuwe vrolijke lachjes. 'Ik moet gauw eens die ganzerik van je bekijken.' Ze gaf Hardy zijn handdoek die om de roze dame was gewikkeld. 'En kennismaken met je vrouw en...' Haar lachje werd onzeker.

Om haar te helpen probeerde Salty met open mond te lachen. Maar hij kreeg er de kans niet toe, want Hardy zei: 'Okiedo. En ik moet weer naar Rose Ann, anders denkt ze nog dat ik er met de zeep vandoor ben.'

8

Woensdag hadden ze voor het middageten corned beef en kool en bonen en aardappelen en maïsbrood en karnemelk omdat, naar Babe tegen Salty zei, ze dat al sinds mensenheugenis op woensdag klaarmaakte.

De enige verandering was dat Jo Miller langzaam als een verdwaalde ballon de trap af hobbelde en ma tegenkwam die zich met haar slakkegang naar de keuken begaf. Jo Miller nam ma beleefd bij de hand en liet haar naast de McCaslins aan de eettafel plaatsnemen.

Babe gooide bijna een schaal om toen ze binnenkwam en het zag, maar Salty had al haastig extra borden en stoelen klaar gezet, zodat haar niets anders overbleef dan te zeggen: 'Nou, nou, je voelt je blijkbaar een stuk beter.'

Jo lachte; ze zag er anders uit dan de vorige avond, als een verlepte plant die flink water had gehad. Ze had door het ontbijt heen geslapen en terwijl iedereen behalve Hardy zich uitrekte om haar voor het eerst goed te bekijken, rekte zij zich hongerig uit om te zien op welke schaal ze het eerst zou aanvallen.

Tom kwam binnen van de brievenbus met een handvol rekeningen en een klein pakje. Hij staarde naar ma die als een eregast haar servet openvouwde en legde het pakje bij Hardy's bord. Van zijn plaats aan het hoofd van de tafel zei hij somber: 'Samenvatting van het nieuws. Ford heeft het dagloon verhoogd van zes naar zeven dollar. De oorlog is officieel voorgoed afgeschaft. We hebben al tien jaar welvaart. En ik heb er niets van gemerkt.'

Hardy zei: 'Heeft de regering je weer de das omgedaan, Tom?'

'Hij heeft naar de radio geluisterd,' zei Babe.

Tom zei: 'Nu wil de een of andere idioot in Washington de prijs van een postzegel verhogen naar drie cent.'

Jo Miller keek in de stilte rond. Salty voelde hoe ze evenals ma haar hersens afpijnigde met de vraag hoe ze haar kost kon verdienen. 'Kennen jullie die oude mop?' vroeg ze. 'Mallemie is zo dom dat ze denkt dat postelein... een klein postbodetje is.'

Hardy bromde: 'Nou, laat 'r.' Hij begon bonen te nemen maar zag ma's handen, gevouwen voor het tafelgebed, en stopte met de lepel in de lucht.

Tom zuchtte en zei zo snel mogelijk: 'Heer, wees ons genadig en vergeef ons onzevelezonden en maakons oprecht dankbaar voor deze-en-al onze zegeningen.'

'Amen,' zei ma.

'En verlos ons van nog meer welvaart,' voegde Tom eraan toe terwijl hij de corned beef doorgaf.

Jo nam een plak. 'En onze dank aan dit arme schepsel dat zich opofferde opdat wij kunnen leven en eten.'

Iedere vork stopte. Toen hief Hardy de zijne bij wijze van saluut op. 'Aan de koe,' stemde hij in. 'De trotse gever van corned beef. En aan alle boontjes, weggerukt in de bloei en de onschuld van hun jeugd.'

Babe zei: 'Bewaarme, jullie zijn me een stel,' en ze keek naar de volle schaal waar de gepitte aardappelgezichtjes haar aanstaarden.

'Er bestaat een theorie,' zei Jo verlegen, 'dat niet het voedsel aan ons leven geeft, maar dat wij aan het voedsel leven geven door het te gebruiken – door het in ons te veranderen. Daar zit wat in, vind ik.'

Tom zei: 'Babe heeft een theorie omtrent voedsel die nog simpeler is. Het is haar manier om van de mensen te houden. Ze geeft ze te eten.'

Salty leunde tegen de muur en keek toe, genietend van de middagrust. Hij had in de keuken al maïsbrood met boter gepikt. Zijn maag knorde. Hij dreef op hun stemmen weg als een blad op de rivier, duikend, omkrullend, talmend. Hij had nog nooit over koetjes en kalfjes horen praten. Mensen die een toneelstuk opvoerden dat maaltijd heette.

'Alles leeft ten koste van iets anders,' zei Tom. 'De overheid leeft ten koste van mij – door de belastingdruk worden we van huis en haard verdreven. Ik zal de boel moeten verkopen. Of gewoon de brand erin steken en vertrekken.'

'Tom!' zei Babe.

Hardy zei: 'Kom nou, Tom, je bent toch zeker in dit huis geboren? Dat kun je niet verkopen.'

'Wacht maar eens af,' zei Tom. 'Wanneer er een lik verf op zit en dat dak is gerepareerd, wordt het te koop gezet.'

'Heb je het besluit genomen?' zei Babe nadenkend.

Tom legde zijn vork neer en vouwde zijn hand over de hare. Ze draaide haar handpalm naar boven en hield zijn vingers vast totdat de boosheid uit zijn gezicht wegtrok. 'Ja,' zei hij.

Met een zacht stemmetje vroeg Rose Ann: 'Wanneer verwacht u uw baby, mevrouw Miller?'

'Ik verwacht het over een paar weken, tenzij ik besluit te wachten tot de Dag van de Arbeid.' *

'H'm,' zei ma. 'Je bent zwanger van een jongen.'

'O ja?' vroeg Jo verbaasd. 'Hoe weet u dat?'

'Als het zo hoog zit, een jongen,' zei ma. Ze keek de tafel rond en onder hun aandacht ontdooide in haar een stroom van woorden. 'Alford en ik, we kregen acht kinderen, maar er bleven maar drie in leven. En toen werden ze allemaal weggerukt door ongevallen en ziekte op Dovies familie na, dat was mijn oudste zoon. En toen heeft de griep ze weggerukt in 1917, allemaal op Dovie na. Ze kreeg het ook, maar zij ging niet dood met Salty onderweg.'

Iedereen keek naar hem. Hij probeerde achter het behang te verdwijnen. Babe zei monter: 'Nou, gelukkig maar.'

'Allemaal in Texas geboren,' zei ma, die zout op haar hand strooide om de hoeveelheid af te meten. 'We kwamen direct na de Burgeroorlog, de zomer waarin we getrouwd zijn, want Alford moest aan de spoorlijn werken.'

Tom zei: 'Wie wil er nog een plak vermoorde koe?'

Ze hoorde hem niet. 'Maar we waren nog niet hier of een louche advocaat luisde hem de gevangenis in, alleen maar vanwege praatjes. Zes maanden. We hadden nog niet eens

* Labor Day, officiële feestdag, in Amerika de eerste maandag in september.

een huis. Je mag niet afgaan op praatjes, het is me waarachtig wat moois.'

Tom zette de schaal met corned beef neer en gaf het op. Salty manoeuvreerde zich in een hoek. Hij had het verhaal al honderd keer gehoord – ze was niet te stuiten. Sommige versleten puzzelstukjes van haar leven waren nooit op de juiste plaats ter ruste gelegd. Hij vond het vreemd dat die bittere momenten scherp en levend waren gebleven, terwijl de uren en jaren eromheen in het niets waren verdwenen. Maar misschien hield haat de dingen in leven. Haar in leven.

'Ze werkten in een ploeg aan de spoorbaan,' zei ma op haar langzame, genietende toon. 'En de opzichter, hij stond boven op de heuvel zodat hij kon toezien en hij liet ze naar de rivier de Trinity gaan om noten te zoeken. Ze verdeelden de zak iedere avond en aten noten. Je ziet dus dat hij een goed mens was, ook al was hij een opzichter.'

'Ma,' smeekte Salty die zag hoe hun gezichten als puddingen in elkaar zakten terwijl ze haar schade inhaalde na die eenzame maaltijden in de keuken.

Jo vroeg: 'Hoe lang zijn u en Alford getrouwd geweest?'

'Tweeënveertig jaar. Tweeënveertig. En Salty is alles wat ervan over is, voor zover ik weet. Het einde van de lijn.' Al hun ogen richtten zich weer op hem. 'Alford zei altijd, óf je vertrouwde op het leven óf je stierf uit.' Ineens stak ze haar hand naar Salty uit. Hij maakte zich van het behang los en kwam net binnen haar bereik. 'We zijn nog niet uitgestorven, hè jongen?'

Hij wist niet of hij onder de tafel moest kruipen om aan hun blikken te ontkomen of trots rechtop moest blijven staan omdat hij de vreemde en wonderbaarlijke laatste was.

'Lang leve Salty,' zei Jo, haar karnemelk heffend.

Toms elleboog veegde zijn rekeningen op de grond. Salty bukte om ze op te rapen, maar Tom wuifde hem weg en deed het zelf.

Jo keek de tafel rond, waardoor ze aller ogen op zich vestigde. 'Ik wil jullie bedanken omdat je me hebt opgenomen. Omdat jullie me deze gelegenheid geeft om mijn probleem uit te werken. Ik ben nog nooit in zo'n situatie geweest. Het is beangstigend plotseling voor mezelf verantwoordelijk te zijn en voor een ander leven bovendien.'

Tom zei: 'Je hebt er in ieder geval een rottijd en een rotland voor uitgekozen.'

Ze keek verbaasd. 'Om een baby te krijgen?'

'Om verantwoordelijk te zijn,' zei Tom.

Babe beduidde Salty dat hij haar de vlaaien moest brengen om te snijden. Het stuk dat ze overliet, bijna een kwart van een vlaai, was voor hem. Hij bracht het naar de keuken.

Toen hij terugkwam met nog een lik schuimgebak op zijn lippen, zei Tom: 'Ik wil niet mijn neus in het leven van anderen steken. Als je kunt betalen, kun je blijven, zo zijn de regels van dit huis.' Hij keek Hardy met een veelbetekenende blik aan. 'Maar persoonlijk vind ik dat we de politie op de hoogte moeten stellen waar je bent, voor het geval je man naar je zoekt.'

Jo bracht haar bevende vingers naar haar lippen. Babe zei: 'Nou, Tom. Ze heeft al zorgen genoeg.'

'Iedereen heeft zorgen. Kijk maar naar ons. Een huis plotseling vol hongerige kostgangers en geld ho maar.'

Hardy legde zijn vork waar nog eten aan zat neer. 'Wat ben je toch een brompot!' hij lachte. 'Tom, je krijgt je geld heus wel.'

'Ik heb een ring,' begon Jo langzaam. 'Die kan ik verkopen.'

'Ach, lieverd, stoor je maar niet aan hem,' zei Babe. 'Hij heeft altijd van die moeilijke dagen wanneer de pijn erg wordt. En die pietluttige lui van de belasting die maar aanmaningen sturen alsof ze bang zijn dat de fatsoenlijkste man van de stad zijn aanslagen niet zal betalen.'

'Ik heb erover nagedacht,' zei Rose Ann in het algemeen. 'Ik ga werk zoeken.'

'Doe niet zo mal,' zei Hardy. 'Je blijft hier en neemt babylessen bij Jo Miller.'

'Doe jíj niet zo mal,' waarschuwde Rose Ann, diep blozend. 'Een van ons moet de verantwoordelijkheid op zich nemen.'

Hardy keek hen allen aan. Hij haalde zijn schouders op en zette grote ogen om zijn verbazing over haar gedrag kenbaar te maken. 'Welnu, dat zal jij niet zijn. Jouw werk is voor je uitgestippeld.'

Salty liep schuchter naar hem toe. 'Bij de ijsloods staat een bord Hulp Gevraagd. Ik heb het gezien.'

'Prachtig,' zei Hardy. 'Gevraagd. Een halve ijsknecht. Ik neem het aan. Ik begroet het met open arm.'

'Wind je niet zo op,' zei Tom. 'Ik zit je niet te manen.'

'Dat weet ik verdomd goed.'

'Je hebt er het recht toe,' zei Rose Ann kalm. 'We hebben hier geprofiteerd. Maar ik weet dat ik werk kan vinden. Al is het maar voor een paar maanden, totdat...'

'Nee!' riep Hardy, lachend om het niet belangrijk te doen schijnen. 'Ik ben de kostwinner.'

'Wat wil je dan?' riep ze uit. 'Teruggaan en bij míjn familie intrekken?'

De hand die uit het verband stak maakte een vuist en sloeg op de tafel. 'Ik wil hier blijven. Net als jij. Hoe moet het anders met die droom van je?'

'Wat voor een droom? Je bedoelt–O, Hardy, nu vraag ik je!'

'Wat voor een droom?' vroeg Babe en ze vergat te kauwen.

'Haar droom. Luister, ze heeft een droom gehad, fantastisch gewoon, regelrecht uit een film van Cecil B. de Mille.'

'Hardy, alsjeblieft.'

'Nee, luister, het is een prachtverhaal. Ze droomde dat je hier in de Buckley Arms een register had waar de gasten hun namen in schreven, een groot plat boek in de gang.'

'Dat hadden we vroeger,' zei Tom. 'Toen mijn moeder nog leefde.'

Rose Ann greep Hardy's hand die de groezelige watten en het gaas onder zijn spalk krabde. 'Hardy, ik wil niet dat je het vertelt. Het is privé.'

'Welnu, ze sloeg het boek open en de laatste gast had zijn naam geschreven met een of andere glimmende gouden inkt – Isidoor Auckay.' Hij aarzelde even. 'Heb je ooit een gast gehad die Auckay heette?'

Tom en Babe keken elkaar aan en schudden hun hoofd.

'Nou, hoe dan ook, onder Opmerkingen had hij in het register het volgende geschreven. Luister goed. *Het kind dat uit dit huis afkomstig is zal de wereld veranderen.*'

Iedereen kauwde en slikte en keek hem aan. Salty voelde zijn vingers tintelen, zoals die keer toen op een stormachtige avond een uil over hem heen scheerde.

'Goeie genade,' giechelde Babe nerveus, 'het klinkt alsof het zo uit de bijbel komt. Een profetie.'

'Nou, is-ie?' vroeg Jo glimlachend.

'Is-ie wat?'

'Is-ie oké?'

Hardy staarde haar stomverbaasd aan. Toen verhelderde zijn gezicht. 'Issy Auckay. Aha! Is-ie oké? Wie zal het zeggen? Dat geeft er een prachtige nieuwe draai aan. In ieder geval, Rose Ann droomde het vlak nadat ze zeker wist dat de baby onderweg was. We krijgen niet alleen een onbedoeld kind, maar we krijgen ook gratis een vergulde aankondiging.'

'O, Hardy, hou op!' Rose Ann sprong van haar stoel op. Haar gezicht was pijnlijk vertrokken en ze wendde het haastig af opdat niemand het zou zien. 'Zoals jij het vertelt klinkt het zo – overdreven. Moet je met alles wat van ons privé is de draak steken?'

Hij stond ook op, niet goed raad wetend met zichzelf en met haar. 'Rosie, wat heb ik gezegd? Ga zitten en eet je vlaai op.'

'Het was ónze droom,' hield ze hem voor.

'Maar, Rosie, het gaat ook over dit huis en iedereen heeft er belang bij.' Hij trok haar weer op haar stoel. 'Luister, dit zou de oude Buckley Arms tot de hanebalken kunnen vullen met zwangere vrouwtjes die proberen beslag te leggen op *het kind dat uit dit huis afkomstig is.* Zodat huis en hof voor Tom behouden blijven, enzovoort.'

'Een kleine advertentie in de plaatselijke krant...' stelde Jo voor.

Tom zei: 'Tenzij Jo Miller er vroeg bij is en de hele zaak verziekt.'

'O, nee!' zei Jo geschrokken. 'Voor we twee weken verder zijn, ben ik al...' De zin bleef onafgemaakt zweven, evenals haar plannen. Ze keek Hardy aan. 'Ik weet zeker dat Issy jullie bedoelde.'

Rose Ann wilde weer opstaan, maar Hardy hield haar tegen. Hij wenkte Salty naderbij en gaf hem met een gebaar te kennen dat hij het pakje naast zijn bord moest openmaken. Ze aarzelde toen Salty het papier van een doos aftrok. 'Rosie, we hebben beloofd dat we onder alle omstandigheden bij elkaar zouden blijven, niet waar? In lief en leed. Oprechte trouw tussen man en vrouw.'

Salty haalde een paar handboeien te voorschijn. Hardy stak zijn goede hand uit en knikte op de vraag in Salty's ogen. Salty klapte de gekartelde halve cirkels om zijn pols dicht.

Hardy bracht de arm met de handboei dicht bij die van Rose Ann. 'Nu zij,' wees hij. Als een overdreven acterende toneelspeler drukte hij zijn gebroken arm tegen zijn borst. 'Twee zielen gloeiend aaneengesmeed.'

Salty voelde Rose Ann trillend van woede terugdeinzen. Voordat hij wist wat er gebeurde, draaide ze zijn pols om en sloot ze de tweede handboei eromheen. Hardy en hij waren aan elkaar vastgeklonken. Terwijl iedereen in lachen uitbarstte, haalde ze het sleuteltje uit de doos en dat gooide ze onder de tafel.

'Nu is een baby niet het enige waar je aan vastzit,' zei ze en ze stormde de kamer uit.

Salty was zo verbaasd dat hij achteruit wankelde en Hardy meetrok. Ze richtten zich weer op en bleven stilstaan.

De hilariteit was even plotseling verdwenen als Rose Ann. Hardy wilde haar achterna gaan, herinnerde zich Salty en zei: 'Het sleuteltje.' Ze doken samen onder de tafel en beklopten om de stoelpoten en de opgetrokken voeten de in schaduw gehulde bloemen van het tapijt. 'Verdomme,' snauwde hij en hij trok Salty door de deur met zich mee de kamer uit.

In de gang hoorden ze de deur van de slaapkamer dichtvallen en op slot gaan. Hardy sleurde Salty met twee treden tegelijk de trap op en rammelde aan de deurknop. Salty's hand, geketend aan de zijne, rammelde mee. 'Nee,' zei ze binnen.

'Rose Ann, nog een minuut en ik zal de kosten van een ingetrapte deur toevoegen aan wat ik Tom schuldig ben. Laat me erin.'

'Voeg maar toe,' zei ze.

'Rose Ann.' Ze luisterden en wachtten. De stilte duurde voort, gevuld met het hijgen van hun adem. Beneden zei de stem van Tom: 'Hier is het.'

'Je hebt het recht niet om met mijn gevoelens de spot te drijven.' Haar stem was zwak als van een gewond dier dat krimpt van de pijn. 'Ik ben niet een truc uit de catalogus, Hardy. Je bent erger dan die wees van de rivier – die wérkt tenminste om in de gunst te komen. Jij houdt mensen voor de gek met zeepaugurken en als ze lachen, denk je dat ze van je houden. Je bent nog steeds een kind van vijf jaar dat ten aanhoren van de hele familie een versje opzegt in het pakje van de kleine lord Fauntleroy.'

Hij lachte met een scheef gezicht tegen Salty, zich voor haar verontschuldigend, en hij tilde hun aaneengeschakelde handen op om duidelijk te maken dat ze dacht dat ze de sleutel hadden gevonden en dat ze alleen met hem praatte.

'Rosie. Hé, weet je nog? Vanochtend hebben we gelachen, toen we in bed over je droom lagen te praten. Je hebt er zelf een loopje mee genomen.'

'Maar dat waren wíj. Het was niet nodig dat je háár er een grap over liet maken.'

'Schat, ze stak niet de gek met ons. Het zou haar kind kunnen zijn als ze lang genoeg blijft – *het kind dat uit dit huis afkomstig is* – waarom zou ze daarover spotten?'

Ze zei: 'Je wordt vader, Hardy. Daar moest je maar eens aan wennen. Het betekent niet rubber sigaren uitdelen. Het betekent dat je een kind moet grootbrengen. Aan het hoofd van een gezin moet staan. Werk moet vinden.'

'Schat, zodra mijn arm...'

'Hardy, je hebt ook niet gewerkt vóórdat je je arm brak. Je hebt nooit wat voor snertbaantje ook langer dan vier maanden volgehouden. We hebben op de zak van mijn familie geleefd, Hardy. Een heel jaar. En nu leven we op de zak van jouw familie.'

Salty trachtte zo geboeid naar zijn schoenen te kijken dat hij niet kon horen wat ze zeiden. Maar zijn ogen keerden steeds terug naar Hardy's geketende hand die naast de zijne hing, de sterke, bleke, roerloze hand, gevangen in een onnozele metalen band.

'Ik wil vastigheid in mijn leven hebben. Een huis. Jou.' De stem van Rose Ann was zo treurig alsof ze ook zijn hand zag. 'Ik hou van je, Hardy. Ben je er nog? Ik hou van je, maar je maakt me doodsbang. Wat moet er van ons terechtkomen?'

Hardy steunde zijn hoofd tegen de deur. 'Goed,' zei hij langzaam, 'ik zal je zeggen hoe het met ons gesteld is, Rosie. Ik heb er diep over nagedacht. Kijk maar of ik gelijk heb. Ik denk dat we een het-huwelijk-in-stand-houdende baby krijgen, omdat jij dacht dat het zou helpen.' Hij trok met zijn vinger de nerven van de deur na. 'Je hebt niet de voorzorgsmaatregelen genomen die je volgens jouw zeggen nam, Rosie. Je hebt voor de baby je best gedaan. Hard. En alle verwijten die je me doet zijn alleen maar afleidingsmanoeuvres om de waarheid te verbergen.'

Achter de deur leek de stilte eindeloos als een winternacht.

'Hoe kon je zoiets stoms doen!' schreeuwde hij.

Salty trachtte zich voor te stellen hoe haar verborgen gezicht, nog geen meter van hen vandaan, eruitzag nu ze met stomheid was geslagen door Hardy's beschuldiging. Ze wachtten. De zachte geluiden van leven vulden de tijdsruimte die werd opengelaten voor haar antwoord.

Hardy richtte zich op en liep, Salty meetrekkend, naar de trap. Plotseling deed Rose Ann de deur open, maar hij begaf zich zonder om te kijken naar beneden en alleen Salty zag haar gezicht.

Hij trok aan Hardy's mouw en pakte de stijl van de trapleuning vast om hem tegen te houden. Toen Hardy zich omdraaide, kwam Rose Ann naar hem toe en ze barstte in tranen uit. Salty hief hun handen op, waardoor Hardy's arm zich spreidde en Rose Ann er snikkend in viel.

Hardy hield haar vast. Ten slotte fluisterde hij: 'Niet huilen. Doe je best om niet te huilen. Denk je niet dat zelfs een klein baby'tje niet groter dan een boon kan voelen dat je huilt?'

Ze worstelde om het onbeheerste schokken van haar ademhaling tot bedaren te brengen. 'Ik heb er geen spijt van,' zei ze tegen zijn overhemd. 'Ik zou het weer doen. Alles om je bij me te houdem, Hardy. Ik denk dat deze baby het kan. Dat is mogelijk, Hardy. Jij wilt het ook. Ik zag je gezicht toen je hun de droom vertelde. Ik weet dat je er de gek mee stak, opdat niemand zou merken hoe opgewonden en bang je eigenlijk bent bij de gedachte dat het waar kon zijn. Jouw bijzondere kind. Omdat je zo dolgraag wilt dat het waar is.'

Ze hoorde de handboeien rinkelen toen Salty een misrekening maakte bij het volgen van Hardy's hand, die zich langzaam van haar rug terugtrok. Ze draaide zich om en pas nu zag ze hem echt. Even dacht Salty dat ze haar armen zou uitstrekken en hen beiden tegen zich aan zou drukken. Maar het masker dat ze had afgelegd toen ze dacht dat zij en Hardy alleen waren, gleed weer voor haar gezicht.

Haar koele, neutrale stem zei: 'Jullie kunnen beter naar beneden gaan en zorgen dat je uit deze toestand komt. Jullie zien er belachelijk uit.'

9

'Je moet proberen Tom te begrijpen,' zei Babe, voorzichtig om zich heen kijkend. Ze hielp Salty met de afwas na het middageten. 'Hij is niet boos, behalve op zichzelf. Het doet hem verdriet te zien hoe dit huis in verval raakt. Het maakt hem letterlijk ziek. Hij heeft het gekregen en hij houdt ervan. Maar hij kan het niet aan. Begrijp je?'

Hij begreep het niet, maar hij knikte. Hij wilde alleen maar opschieten. 'Misschien kan ik het dak repareren,' zei hij verlegen. 'Ik weet hoe het moet.'

Babe deed een poging om te lachen. 'Hij zegt altijd dat het huis net is als hijzelf. Aan het aftakelen.' Ze keek hem aan, zo ernstig dat ze niet merkte dat ze afwaswater liet druipen. 'En wat je zojuist zei – dank je, Salty. Ook al kan niets dit oude huis redden, is het goed te weten dat iemand het wil proberen.'

'Hij mag het niet verkopen,' zei Salty. 'Dat is dom. We zijn hier met te veel mensen. We kunnen er niet zomaar afspringen, als van een zinkend schip.'

Ze boende de zware glazen karn waarin ze nog haar eigen boter maakte. 'Nou, we hebben het nooit gedaan en er zijn moeilijke tijden geweest waarin ik heb gedacht dat we vast en zeker eronderdoor zouden gaan. Ook vóór mijn tijd is het waarschijnlijk al zo geweest. Nadat zijn vader was gestorven heeft Tom zijn moeder geholpen het te beheren. Die moeder – boe – je kunt je misschien voorstellen dat zij en ik niet al te goed met elkaar overweg konden. Ze was een zeer geletterde dame die altijd een beetje boven ons stond. Zij heeft dit huis een naam gegeven. Ze had grote verwachtingen voor zichzelf en ook voor Tom toen hij nog klein was, maar als vrouw van een predikant moest ze zich verlagen tot het nemen van kostgangers.'

'Hebben jij en Tom en zij alle drie hier samen gewoond?'

Ze liet haar ogen rollen. 'De eerste negen jaar van ons

huwelijk. Daarna, nu ja, het schip sloeg lek. Tom was – ik weet niet – we hadden alle twee onze problemen.' Ze leunde tegen de keukenkast en keek toe terwijl hij het versleten linoleum dweilde. Haar korte, mollige vingers rangschikten haar krullen. 'Ik dacht dat ik verliefd was op de koordirigent. Dat was ik niet, maar Tom en ik – we besloten uit elkaar te gaan. Ik ging terug naar de plaats waar ik vandaan kwam en hij bleef hier. Hij was erg terneergeslagen, hij zat in over de oorlog en zo meer. Ik denk dat hij als vrijwilliger ging omdat hij echt geloofde en hoopte dat hij zou sneuvelen.'

Het was moeilijk je voor te stellen dat ze ooit zo jong waren geweest. Boos of bedroefd genoeg om te willen sterven. Maar hij wilde zijn verbazing niet laten merken en daarom zei hij: 'Hoe heeft zijn moeder het in haar eentje klaargespeeld?'

'Nou, dat kon ze niet.' Babe lachte tegen hem. 'Jouw moeder heeft haar geholpen. Ze had jarenlang halve dagen gewerkt, maar toen ik was weggegaan, nam ze zo'n beetje mijn plaats in en toen Tom in het leger ging, kwam ze zijn moeder hele dagen helpen.'

Hij trachtte het zich voor te stellen, zijn mamma die, jong en vrijgevochten van de rivier, gestaan had waar hij nu stond en in dit enorme huis de bevelen van de geletterde dame had opgevolgd.

'Ongeveer een jaar later kreeg ik een brief,' zei Babe. 'De griep woedde toen, weet je. Toms moeder was ziek en verzocht me terug te komen. Dat heb ik gedaan. Je moeder was er niet, ze moest haar eigen familie verplegen. Het was een vreselijke tijd. Toms moeder is toen in de lente gestorven. En zo zat ik dan hier in dat grote oude huis, dat ik naar mijn beste weten heb beheerd.'

'Maar hij is teruggekomen. Jullie hebben het weer goed gemaakt.'

'Dat wil zeggen, hij is niet dadelijk thuisgekomen toen de oorlog was afgelopen. Hij lag in het ziekenhuis. Na een tijd kwam hij thuis. Zo mager. Mijn hart brak. Het was vreselijk dat we, louter uit trots, die twee jaren hadden verknoeid. We hadden die hele moeilijke, treurige tijd samen kunnen zijn.'

Ze spoelde de theedoeken uit waarmee ze hadden afgedroogd en hing ze op de achterveranda over de lijn. Terwijl Salty toekeek probeerde hij zich de charme en de hardnekkige boosheid en het verdriet voor te stellen die ze onder een vetlaag had verstopt.

Ze zei: 'Op een dag hoorde je moeder dat Tom terug was. Nog steeds erg ziek. Ze kwam kijken hoe het met hem ging en ik zei, "Dovie, kom me helpen." Ik was dag en nacht in touw geweest om hem te verplegen. Ze zag hoe erg ik haar nodig had. En zo is ze gekomen. Ze is gebleven. Tien jaar.' Babe deed de verandadeur open om hem naar buiten te laten gaan. Ze waren klaar. 'Je kent dat gedeelte. Ze is de rest van haar leven gebleven.'

Salty ging naar buiten en staarde naar het dak zonder het te zien. Op zo'n simpele manier was er dus over zijn leven beslist. Hij was een baby toen Babe die dag zei 'Kom me helpen.' Zijn mamma was naar hen toe gegaan en had hem aan de zorgen van ma overgelaten. Slechts drie woorden waren daarvoor nodig geweest.

Hij zette die gedachten van zich af en ging een ladder zoeken. De dakspanen waren waarschijnlijk verrot en de goten door de bladeren verstopt. Maar toch waren misschien kleine reparaties al voldoende om het lekken te verhelpen. Hardy werkte op het dak van een kerk toen hij viel – misschien kon hij helpen. Er waren vast een heleboel dingen die ze konden doen om het huis zo goed op te knappen dat Tom zou afzien van zijn plan om het te verkopen.

En als de verbeteringen kopers aantrokken, moest hij het maar riskeren, want ze zouden ook betalende gasten aantrekken. Hij dacht nu niet alleen aan ma en zichzelf, maar ook aan Jo en haar baby. En als Issy Auckay haar niet had bedoeld, dan waren er altijd nog Hardy en de boon om aan te denken.

Het verhaal van Babe had hem verbaasd. Het was alsof je alleen de ruggen van de mensen zag en dan, wanneer ze zich omdraaiden, zag dat ze heel andere gezichten hadden dan je had verwacht. Het was wel even wennen om Tom met de ogen van Babe te zien. Zij zag niet dezelfde Tom als hij, de Tom die zijn echte gevoelens verborg achter zure opmerkingen en nee zei omdat iedereen ja zei. Hij dacht dat je gemakkelijker van haar Tom zou kunnen houden dan van de echte. En dat het voor haar Tom misschien ook gemakkelijker was geweest om van hem te houden.

Juist toen hij de ladder achter de garage zag staan, kwam Tom naar buiten op weg naar de tuin. Hij zou moeten wachten. Alsof hij een opdracht voor Babe uitvoerde, haalde hij een jutezak die hij doelbewust ging vullen met blikken van de stapel in de steeg. Hij vond een blikschaar in de garage en ging Jo zoeken.

Ze zat op de veranda voor het huis, omringd door Eversoles. Idalee zat naast haar op de schommel en droeg een Indiaanse oorlogstooi van rafelige kalkoenveren. Naast Idalee zat Eversole nummer twee en op de balustrade, verscholen tussen de wingerdbladeren, zaten er nog drie. Van ieder hoofd stak een zelfgemaakte papieren veer als een kattestaart omhoog.

Hij zette zijn zak neer en wou dat ze weggingen, zodat hij met zijn plannen kon doorgaan.

Idalee zei: 'We gaan naar de vakantie-bijbelschool om alles over God te leren.'

'Zoals je er nu uitziet?' vroeg hij voor hij het wist. Hij vroeg zich af hoe ze zouden weten wanneer ze alles geleerd hadden.

Eversole nummer twee piepte met een schriel stemmetje dat bij haar haren paste: 'Ik ken al de Tien Geboden.'

'Loop rond,' zei Idalee. 'Je weet er niks van.'

'Wel waar.' Ze spreidde haar spichtige vingers om af te tellen. 'Wees lief. Maak niemand aan het huilen. Luister naar je moeder. Lach niet om God. Sluit niemand buiten. Speel eerlijk.'

'Wat je zegt,' snoof Idalee. 'Je kent de Tien Geboden niet. Je hebt oordeel niet over overspel vergeten.'

'Ik was nog niet klaar,' zei de tweede Eversole met een boos gezicht. Salty wou dat hij met zijn handen in zijn zak de hele rij kon afdraaien, zonder een woord te mankeren. Maar het enige dat hem op dit moment te binnen schoot was *Gij zult niet doden* en Idalee had haar best gedaan om hem dat gebod te laten overtreden.

Plotseling klonk de stem van meneer Eversole als een kanonschot over de straat. 'Thuiskomen!' Alle Indianen sprongen op. 'Blijf daar vandaan!' Ze klauterden van de veranda en vergaten het kleinste Indianenkindje op de balustrade. Jo tilde hem eraf. Hij glipte als een vis uit haar handen en stoof de anderen achterna. Ze bleef achter met een geknakte papieren veer in haar hand.

'Je hebt tenminste een stam in de buurt om mee te spelen.'

'H'm,' zei hij en onverwachts lachte hij ook. Bij haar hoefde hij niet te aarzelen. Hij rammelde met zijn zak. 'Ik ga dit huis opknappen. Zo goed, dat Tom het niet zal willen verkopen. Zo mooi, dat er een heleboel toeristen en kostgangers komen.'

Zoals hij verwacht had, keek ze koel-zakelijk om zich heen. 'Repareer het trottoir, dat is het eerste dat ze zien. Zodat ze niet hun benen breken als ze uit de auto stappen. Het dak lekt.'

'Dat kunnen Hardy en ik opknappen. Wil je blikjes platmaken? Dan stoppen we ze onder de gebarsten spanen.'

Ze zei geestdriftig: 'Natuurlijk. En in die hor daar heb ik een gat gezien. Dat kan ik repareren met dun ijzerdraad, zoals je een sok stopt.'

'Toen ik hier kwam, vroeg hij of ik kon schilderen.' Salty streek met zijn hand over de gehavende, door de hitte gebarsten muren. 'Dat kan ik. Ik zal ze een verfje geven. Alleen de voorkant zou al helpen. En die wingerd een beetje uitdunnen.'

Ze zei zacht: 'Je wilt graag dat hij het houdt, niet waar, Salty? Je wilt hier blijven wonen.'

'Ik heb mijn mamma beloofd dat ik voor ma zou zorgen en ik weet geen andere manier. Maar hij begint steeds weer over verkopen.' Hij haalde zijn schouders op. 'Wil jij niet hier blijven? Vooral nu?'

'Je bedoelt de droom?' Ze lachte en ging blikjes klaar zetten.

'Dat zou nog eens iets zijn, denk je niet? De wereld veranderen.' Hij probeerde zich voor te stellen wat dat betekende. Werkelijk het aanzien van de aarde veranderen. Door een nieuwe landbouwmethode, bij voorbeeld. Of drijvende steden in de zee. Of dat de mensen nooit meer ziek of oud zouden worden.

'Misschien bedoelde de droom jou,' zei ze.

De verbazing die hij even voelde sloeg om in droefheid. 'Ik ben geen kind. Maar jouw kind zou bedoeld kunnen zijn. Wil je niet blijven om hem de kans te geven?'

Ze klemde haar lippen opeen en keek onwillekeurig naar een passerende auto. 'Ik weet niet wat ik wil. Gewoon blijven zitten waar ik zit, denk ik.'

Babe kwam naar buiten. 'Tom en ik gaan naar de kruidenier.' Ze stapte in de auto die Tom achterwaarts de garage uitreed.

Toen ze weg waren, stond Jo op. Ze zette haar handen in haar rug. 'Als je eens die ballon van de lamp schoonmaakte, zodat we er 's avonds voor de toeristen uitnodigend uitzien?'

Hij haalde hem eraf en maakte hem schoon. Daarna legde hij een trottoirtegel vast die boomwortels omhoog hadden gewerkt. Jo was klaar met het openknippen van blikjes en begon de verstikkende wingerdranken weg te snoeien die de veranda verduisterden. Het sprankje enthousiasme in Salty's binnenste begon vlam te vatten.

Hardy kwam naar buiten, verfomfaaid en lusteloos. Terwijl hij zei: 'Wie verwachten jullie – God?' duwden ze hem een doek in zijn hand en zetten ze hem aan het ramen wassen.

Rose Ann kwam in haar badjas beneden en stond vanuit de deuropening naar ze te kijken. 'Ben je vergeten dat je kwast boven zou brengen?'

Hardy gooide zijn lap recht omhoog. 'Ik ben deze werkploeg ingeluisd net als Salty's overgrootpapa.' Hij begon zijn handen af te drogen.

'Laat maar. Ik heb al wat in de keuken gevonden.' Ze ging weer naar binnen. Salty hoorde haar, verweg, de lieflijke, langzame platen op de grammofoon afdraaien waarop zij en Hardy hadden gedanst, vóór de droom.

Babe en Tom kwamen aanrijden. Ze stapten uit en keken naar de Buckley Arms.

'Wat hebben jullie gedaan?' vroeg Babe. 'Er is iets veranderd.'

'Onzin.' Hardy legde de vingertoppen van zijn goede en slechte hand met het gebaar van een dominee tegen elkaar. 'U ziet het alleen maar anders door de ogen van het geloof, zuster Buckley.'

Behalve Tom en Salty gingen ze allemaal naar binnen. Tom hield de deur vast en keek onderzoekend naar Salty's geschramde armen en vuile knieën. 'Waarom?' vroeg hij.

Salty haalde zijn schouders op. 'Om te helpen. Totdat je verf kunt krijgen.'

Tom had een zak met boodschappen in zijn arm. Hij stak hem een pakje kauwgum toe.

Salty zei in een vlaag van hoop: 'Als we het opknappen zodat er meer mensen komen, zou je meer geld verdienen en hoefde je het niet te verkopen.'

Tom duwde langzaam de kauwgum in Salty's borstzakje en ging naar binnen.

Juist toen Salty de keuken in wilde gaan om te helpen, kwam ma strompelend op haar wiebelende stok eruit. Ze had een gezicht als een oorwurm.

Babe was bezig iets van het linoleum op te vegen. Ze riep uit: 'Die lieve oude dame mag niet hier binnenkomen en mijn keuken overnemen, heb je me goed verstaan? Ze is onmogelijk. Mijn verjaardagskan in duizend stukken, zout in de ijsthee. Ik heb recht op mijn eigen keuken! Help me op.'

Hij trok haar op en raapte gebroken glas op dat ze over het hoofd had gezien.

'Je moet met haar praten, Salty. Ik wil het niet meer hebben.'

'Ja, mevrouw.' Hij vermeed haar ogen, niet zeker aan wiens kant hij stond. 'Ze bedoelt het niet kwaad.'

'Het is al erg genoeg dat ze binnen onder het eten zit te ratelen en te morsen – en die walgelijke blikken waar ze in spuugt...' Ze brak af. Salty wist waarom. Ma hield haar blikken verborgen en Babe had zojuist onthuld dat ze had rondgesnuffeld. Haar ronde wangen kregen een kleur.

Hij ging naar ma's kamer. Ze zat als een bezetene te schommelen en tranen zochten langs haar rimpels hun weg. Toen ze hem zag, veegde ze die af met een natte theedoek die ze in haar zak had.

'Gaat het goed?' vroeg hij, niet wetend hoe hij moest beginnen.

'Nee,' antwoordde ze. 'Het gaat niet goed. Ik ben oud.'

Haar lange schaduw zwaaide als een slinger heen en weer. Hij dacht aan de radertjes in haar geest die haar, tandje voor tandje, door haar leven voortbewogen.

'U bent niet oud, ma. U kunt zich heel goed redden.'

'Ik doe niks meer goed.' Ze krabde aan een etensrest die ze de vorige avond op haar japon had gemorst. 'Ik doe alles verkeerd. Ik zou van pure woede mijn hoofd tegen de muur kunnen slaan. Ik wil het huishouden doen en erbij horen. Wat denkt ze dat ik ben? Winterkleren, netjes opgevouwen, motteballen erbij en de deur dicht?'

'Ze is nu eenmaal gewend alles op haar eigen manier te doen,' zei hij terwijl hij met de theedoek om haar knoopjes heen de vlek bette.

'Dat ben ik ook. Ik had al een eigen keuken toen zij nog op een rammelaar kauwde.'

Hij probeerde haar aan het lachen te maken. 'Ik doe ook alles verkeerd. Ze gaat vreselijk tegen me tekeer. Ze is het zo weer vergeten.'

'Ze vergeeft het jou omdat ze je goed en snel kan laten werken. Ik denk niet dat ze het mij zal vergeven.'

Toen ze opkeken, zagen ze Jo bij de deur staan, die ma kwam halen voor het avondeten.

Ma schudde al haar hoofd, maar Jo zei: 'Kom nou, overgrootje. Ik heb gehoord wat u zei. Foei. Denkt u heus dat u nuttig moet zijn om gewaardeerd te worden?' Ze hielp ma uit haar stoel en duwde slierten haar in haar knoetje terug terwijl ze haar voetje voor voetje naar de deur loodste. 'Komt u naast me zitten? Ik wil nog meer horen over u en Alford. En de Burgeroorlog en alles.'

Ze kropen de gang door, waarbij Jo en Salty zich aanpasten aan haar slakkegang. Salty begreep niet hoe Jo zo veel geduld kon hebben. Hij had de grootste moeite om niet vooruit te lopen en met zijn dag verder te gaan. Hij wist dat Jo gelijk had. Ma kon het niet helpen dat ze zo oud was. Maar hij kon het evenmin helpen dat hij jong was of dat zijn gevoelens voor haar verdeeld waren.

Hij hield van haar. Ze was zijn oorsprong, het kraakbeen dat de schakel vormde tussen hem en die ouderwetse portretfoto's in haar souvenirdoos, allemaal flets en vaag als het verleden. Maar op dit moment, nu zijn spieren gespannen waren voor snel handelen, hinderden hem haar traagheid en zwakte als de handboeien van Hardy. In zijn jachterige leven vond hij het vervelend haar grieven te moeten begrijpen, in haar tempo te bewegen en eraan te denken dat ze er ook nog was. Maar hij liep voetje voor voetje achter de wiebelende zoom van haar rok, zich oefenend voor de onvoorstelbare tijd waarin hij net zo zou zijn.

Tom was er niet toen ze aan tafel plaats namen. Gedurende de gehele maaltijd dwaalden hun ogen steeds weer naar zijn lege stoel. Babe diende het vlees rond en deed geen moeite om uitleg te geven. Ze praatten een tijdje over de klussen die ze de volgende dag zonder materiaal zouden kunnen doen, maar dat was niet veel.

In de stilte poogde Hardy het flauwe, starre glimlachje op Rose Anns gezicht te ontdooien. 'Wat,' vroeg hij aan de anderen, 'kun je doen aan een vrouw die domweg als een foto voor zich uit zit te staren?'

Ze probeerden het met alle mogelijke gekke voorstellen, maar Rose Ann vertrok geen spier. Babe schudde haar hoofd om zo veel onzin. Hardy boog zich naar haar toe en legde zijn hand op de gebogen nek van Rose Ann. Treurig vroeg hij: 'Kan ik je niet aan het lachen maken?'

Ze kneep haar ogen dicht en schudde haar hoofd.
'Maar ik kan je wel aan het huilen maken.'
'Issy Auckay,' zei Jo vriendelijk. 'Ja?'
Rose Ann zei: 'Ik verheug me op de baby. Heus. Maar ik moet steeds aan die droom denken. Ja.'
'Heb je vaak mediamieke dromen?' vroeg Jo.
'Wat is dat?' wilde Salty weten terwijl hij roomijs doorgaf.
'O, dat je iets droomt en dat het dan echt gebeurt, een dreigend gevaar bij voorbeeld. Of dat je droomt over een plaats en er later werkelijk heen gaat.'
'Tjéé,' zuchtte hij, denkend aan de mogelijkheden.
'Ik heb één droom,' zei Rose Ann, 'die steeds weer terugkeert.' Haar ogen dwaalden langs hun gezichten die tijdens het eten hadden gelachen. 'Het is stompzinnig, nu de welvaart zo'n geweldige vlucht neemt. Maar ik droom over de komst van slechte tijden. En het is doodeng. Er is geen eten. Of zonlicht. Alles is grijs, koud grijs, en ik hoor kinderen zwakjes huilen. En wanneer ik wakker word, ben ik het die huilt.' Haar angstige ogen bleven op Hardy rusten en Salty dacht aan de eerste keer dat hij haar had gezien, boven op de veranda, gevangen in de greep van haar droom. 'Je denkt toch niet dat de dingen op die manier zullen veranderen?'
Hardy zei: 'Alles verandert.'
'Maar mijn kind zal geen slechte tijden kennen. De goede tijden zullen eindeloos duren, niet waar?'
'Kom, kom – Rosie.' Hij wreef weifelend haar rug. 'Je krijgt al dat fantastische kind dat de wereld gaat veranderen. Wil je nu ook nog de garantie van voorspoed?'
'Maar dat is het 'm juist,' zei ze. '"De wereld veranderen" betekent niet vanzelfsprekend een goed en wijs iemand die schitterende dingen doet. "De wereld veranderen"' – ze huiverde – 'kan iets vreselijks betekenen. Iemand met een ziekelijke geest die een nieuwe oorlog begint.'
'Bewaarme, lieverd,' hield Babe haar voor. 'Het is maar een droom.'
Jo zei: 'Er is een nog veel griezeliger gedachte: dat we allemaal de wereld veranderen, gewoon door er te zijn. Dat

we hem gewoon bij vergissing of per ongeluk veranderen. Gewoon uit onwetendheid en overschilligheid, zonder er zelfs iets mee te bedoelen.'

'Maar ik ben zijn moeder,' zei Rose Ann. 'Het is mijn plicht hem gezond te houden en lief te hebben en te leiden. Als ik faal...'

'Ho, ho,' onderbrak Hardy haar. 'Ik ben er ook nog. Dat zware ouderkarwei zal ik samen met je opknappen.'

Ze keek hem in een lange, geladen stilte aan. 'Ja,' zei ze. 'Dat zal je.'

Toms auto reed langs het raam. Babe gaf Salty een teken dat hij zijn eten moest opscheppen.

Ze volgden Toms zware, langzame stappen door de keuken. Hij bleef bij de deur staan. Ze slaakten allemaal een kreet van verbazing. Met één arm hield hij een grote emmer verf en een pak vast. Een dikke bundel dakspanen die met een metalen band bijeengehouden werden liet hij met een klap op de grond vallen en de geur van ceder vulde de kamer.

Toms vermoeide gezicht krulde zich in een triomfantelijke lach. Hij keek naar Salty. 'Pak aan,' zei hij en hij gooide de emmer verf naar hem toe.

Babe gilde om wat er zou gebeuren als Salty miste, maar Salty's handen schoten rustig naar voren en vingen de vliegende emmer tegen zijn borst op. Hij zette hem op de tafel. Zijn vingers brandden. Zijn gezicht gloeide van trots en verrukking. Tom had erop vertrouwd dat hij de emmer zou vangen. Tom wist dat hij het kon en had het hem voor ieders ogen laten bewijzen. Een lach ontsnapte aan zijn lippen.

'Krediet,' zei Tom, 'is een mooie uitvinding.'

'Hij heeft vanmiddag een baan gekregen,' zei Babe met een onzeker lachje.

'Wat voor een?' vroeg Jo.

Tom keek Hardy aan. 'De baan die jij niet wilde hebben. In de ijsloods.'

'Jij?' vroeg Hardy. 'Ga je ijs laden?' Hij scheurde de zak open die Tom hem had gegeven. Er zaten kwasten en een verfkrabber in. Hardy grinnikte en krabde suiker van de korst van Babe's bosbessenvlaai. Toen ze een gilletje gaf, doopte hij een kwast in de suikerpot en streek hij er een extra laag overheen. Rose Ann staarde naar hem, precies zo perplex als hij naar haar had gekeken toen ze die morgen in de zon had liggen slapen.

Babe boog zich aarzelend over Toms stoel. 'Wil je soms liever melk dan koffie? Je zult al je kracht nodig hebben, Tom. Je beseft niet hoe zwaar die blokken...'

'Dat besef ik heel goed,' zei hij nuchter. 'Morgenavond zal ik bont en blauw zijn en vergaan van de spierpijn.' Hij hief zijn koffiekopje plechtig naar Salty op. 'Maar daar gaat-ie, op de Buckley Arms.'

Allemaal hieven ze hun kopjes en glazen. Salty pakte de melkkan en bracht ook een toost uit. Tom zou zoiets niet zeggen over een huis dat hij wilde verkopen.

Tom roerde glimlachend zijn koffie. Toen hij er een lepel van wilde nemen, was de kom van Hardy's truclepel weggesmolten en had hij alleen nog maar de steel in zijn hand.

Het was nog licht genoeg om de ladder te halen en op het dak te klimmen. Terwijl Tom zijn maaltijd beëindigde, zochten Salty en Hardy de gebarsten dakspanen op waar de regen doorheen sijpelde in plaats van eraf te stromen en daaronder klopten ze Jo's platgeslagen blikjes. Salty klauterde op blote voeten over de nog warme glooiingen en richels, maar Hardy ging langzamer, zwijgend en voorzichtig. Salty besefte plotseling dat Hardy's val van de kerk erger was geweest dan hij had voorgewend en dat het glimmende zweet op zijn gezicht van angst was.

Daar boven was het alsof hij vloog. Salty was nog nooit zo hoog geweest, behalve in het gerechtsgebouw toen hij ma had geholpen de trap te beklimmen om haar belasting te betalen. Dit was beter, met de wind en de laatste zon op zijn gezicht en de tinteling in zijn tenen. Overal om hem heen waren schuine daken. Hij kon in binnenplaatsen en in ramen kijken. Hier in de hoogte kon hij zien hoe de dingen in elkaar zaten. Dingen die hij kon helpen veranderen. Ze gingen er weer een trots huis van maken. Tom had met zijn eerste geld materiaal gekocht. Geld dat hij in Salty's hand had kunnen stoppen wanneer hij hem en ma op een bus had gezet om ergens anders heen te gaan.

Tom kwam naar buiten en bleef een hele tijd naar hen omhoog kijken. Toen ging hij naar de tuin en hij knielde neer op de lange mat van zijn schaduw om een armvol bieten uit de grond te trekken die Babe wilde inmaken voor de winter. Zou hij dan nog hier zijn om ze te eten? vroeg Salty zich af. De winter leek even ver weg als de grond.

Toen ze geen blikjes meer hadden, schraapten ze de aangekoekte bladeren uit de goten. In het laatste licht snoeiden ze de vingers van de blauwe regen, de bruidssluier en de wilde wingerd die de dakspanen langs de rand van het dak optilden. Tom haalde een hark en harkte met een grimmig gezicht de takken die ze op de grond lieten vallen op een hoop.

'Is hij kwaad omdat we die boel afsnijden?' fluisterde Salty.

'Dat is best mogelijk,' mompelde Hardy terug. 'Hij is eens aan de praat geraakt over toen hij in het ziekenhuis lag. Hij zei dat hij wist dat hij beter kon worden als hij gewoon naar huis mocht en onder zijn bomen kon liggen en zijn gras weer kon voelen. Misschien laat hij daarom alles zo groot en zwaar worden. Als het haar van Samson.'

'Maar het is te dicht, het verstikt de boel. Beneden voor de ramen van hun kamer, bij voorbeeld. Het neemt al het licht weg.'

Hardy tuurde over de daken naar het gele schemerlicht dat de rivier aan het oog onttrok. 'Blijf bij hem aandringen. Misschien laat hij je dat ook nog eens wegsnoeien. Later.'

10

Nog voordat Tom de volgende morgen naar de ijsloods reed, waren Salty en Hardy al op de voorveranda bezig de bladderende muren af te krabben en losse planken vast te spijkeren om te kunnen beginnen met schilderen. Ze zongen. Hardy leerde Salty de woorden van 'Hela, hola, houd er de moed maar in' en 'Ze denkt aan mij, dat's wat ik weet, zoals ook ik haar niet vergeet,' neuriënd als hij niet verder wist.

Babe kwam naar buiten en ging op de schommel zitten. Ze gaven een mooi staaltje weg van 'Tot ziens in C-U-B-A,' en lieten verfschilfers op haar neerregenen, maar ze keek met een lachje als van een kermispop voor zich uit, in gedachten verzonken.

Plotseling vroeg ze: 'Salty, wil je hem helpen? Tom? Hij heeft de hele nacht liggen hoesten. Die baan maakt hem nog ziek.'

Hardy liet zich tegen de muur vallen. 'Wil je dat ik ga?'

'Nou, ik denk dat hij zou opzeggen als jij ging. Trek het je niet te veel aan dat jij die baan niet hebt genomen, schat. Hij wilde het. Ik kon hem niet tegenhouden. Maar ik dacht zojuist dat Salty net kon doen alsof het verkopen van ijs te leuk was om te missen.'

'Maar dat is niet zo,' zei Salty. Over een uur konden ze beginnen met schilderen.

'Dat weet ik, maar...' De ketting piepte terwijl Babe schommelde; ze keek naar haar vingers. Een spotvogel zat pralend op de hoogste tak van de noteboom en draaide zijn hele repertoire af.

Salty zuchtte. 'Goed, ik ga wel.' Hij sloeg een laatste rij losse spijkers vast en gaf spijtig de hamer aan Hardy.

'We kunnen er toch later samen mee doorgaan?' zei Hardy. 'Ik heb ook nog een paar dingen te doen.'

Salty zei tegen ma waar hij heen ging, sloeg zijn kuif plat en ging met lood in zijn schoenen op weg.

De ijsloods was nieuw. Hij had hem zien bouwen. Het ijs werd in vrachtwagens aangevoerd van de fabriek aan de andere kant van de stad, zodat de mensen in hun auto konden voorrijden om ijs te halen voor hun ijskasten.

Er stonden geen auto's toen hij er aankwam. Tom zat in een piepklein kantoortje geld te tellen. Salty wist precies wat er van hem verwacht werd. 'Dit lijkt me leuker dan afwassen,' zei hij plichtsgetrouw.

Tom draaide zich met stoel en al om. Een flits van verbazing en toen van zoiets als genoegen trok over zijn gezicht. Maar hij zei koel en afgemeten: 'Ik dacht dat je aan het schilderen was.'

Salty maakte een nonchalant handgebaar. 'Hardy had iets anders te doen. Daarom ben ik nu vrij.' Hij keek rond. Naast de zware deur van de opslagruimte was een kleine glijbaan, met hendels opzij. Hij wist hoe het werkte. Als je er één overhaalde, gleed er een blok van vijfentwintig pond naar buiten. Je moest er nog een overhalen voor vijftig pond. Hij wist vroeger precies het juiste moment te kiezen om een afgebroken stuk ijs te pakken en ervandoor te gaan.

Een kerel in een gedeukte Fordtruck reed voor en wilde een blok van honderd pond voor zijn visaaswinkel.

'Is twee van vijftig ook goed?' vroeg Tom hoopvol.

'Honderd duurt langer,' zei de man.

Tom zuchtte en haalde een hefboom over. Terwijl het grote blok krakend onder de canvas klep naar buiten glibberde, pakte Tom het met zijn tang vast. Voordat hij het wist, had Salty ook een tang gepakt en samen zwoegden ze tot het ijs achter in de truck op een deken lag. Ze dekten het met een tweede deken toe.

Tom stond er ietwat verlegen bij. 'Het zou niet zo zwaar zijn als het niet zo verdomd glad was.' Maar hij hing zijn tang en die van Salty aan dezelfde spijker.

Ze werkten samen tot het bijna twaalf uur was. Toen Tom hoorde dat Salty ook dan niet in de Buckley Arms nodig was, diepte hij wat geld uit zijn zak op en stuurde hij hem naar de kruidenier om kaas en crackers te halen, priklimonade en een blikje zalm.

Terwijl Salty wachtte tot het in een zak werd gedaan, bestudeerde hij schuchter de plank met drukknoppen op de toonbank. Onder een van die cirkeltjes zat een geluksgetal dat hem een prijs kon bezorgen. Hij likte zijn lippen af, begerig naar iets meer dan zijn twaalfuurtje. Een van de prijzen was een zakmes. Net zo een als Tom had.

Nadat ze hadden gegeten, zwaaide Tom de zware deur open en ze gingen naar binnen waar het ijs was opgeslagen. Berijpte buizen liepen in lussen over het hele plafond. Hun adem vormde wolkjes in de plotselinge koude. Tom liep naar een hoek achter de opdoemende ijsblokken. 'Wat vind je hiervan als toetje?' vroeg hij en hij haalde een watermeloen te voorschijn zo groot als een torpedo. 'Iemand heeft een lading uit het zuiden meegebracht en er een paar hier gelaten om ze koel te houden voor een picknick, maar deze is gebarsten. Denk je dat jij en ik...'

'Natuurlijk,' zei Salty met een ijzig wolkje adem. Hij wankelde toen Tom de gestreepte gigant in zijn armen legde. Tom schraapte met een blikje langs de berijpte buizen totdat het vol ijskristallen was.

'Giet hier de rest van je priklimonade over.'

'Is dat een sorbet?' vroeg Salty verwonderd. 'Dat heb ik nog nooit geproefd.'

'Nee?' vroeg Tom. 'Nou. Dat zal je dan nu.'

Ze aten watermeloen tot ze buiten adem waren en hun vingers kleefden van het roze sap. Toen een wagenvol katoenplukkers langs kwam om ijs voor hun waterton, moest Tom zich kreunend overeind hijsen.

Meneer Eversole reed voor. Toen Salty zijn vijftig pond in kranten had gewikkeld en het op de vloer van zijn Model T had gesjouwd, stuurde Tom de laatste moot watermeloen met hem mee naar de Buckley Arms, voor Babe.

Er kwam een jongetje om twaalfeneenhalf pond. Hij praatte aan één stuk door terwijl Tom met zijn pikhamer een blok van vijfentwintig pond in tweeën sloeg. Tom maakte op zijn beurt ook grapjes en hij lachte toen hij een touw om het stuk bond en het in het rode karretje van de jongen legde. Salty keek toe, hunkerend naar het vermogen om Tom zo aan het lachen te maken.

Hij was de pitten van de watermeloen aan het opvegen om ze mee naar huis te nemen, toen Tom zei: 'Verdomme. Ik heb de sleutels in de machinekamer opgesloten.' Ze rukten ieder aan de deur van het vertrekje om zich te overtuigen en stonden na te denken over wat ze moesten doen. 'Ik zou naar de fabriek kunnen rijden om een tweede stel te halen, als je denkt dat je de tent draaiende kunt houden.'

'Misschien kan ik me door dat raampje wurmen en de deur van binnen openmaken,' zei Salty. 'Als je me een zetje wilt geven.'

Ze liepen om naar de zijkant. Tom knielde op één knie, Salty stapte op de andere en strekte zich uit om het smalle raam open te wrikken. Met een zetje van Tom bracht hij zijn hoofd naar binnen; hij greep de vensterbank vast en wrong zijn schouders erdoor. Hij begon mee te schudden met de trillende motor die vlak onder hem stond. De hete olieachtige lucht in de benauwde ruimte benam hem de adem. Hij greep in de schemering naar een borrelende buis om zich verder naar binnen te kunnen trekken, maar die was heet. Hij trok zijn hand terug.

'Zit je vast?' vroeg de gedempte stem van Tom.

'Nee. Alleen – kun je mijn voeten een zetje geven?'

Hij voelde Toms handen tegen de zolen van zijn gymschoenen duwen. Hij draaide zich om tot hij bijna zat in de smalle gleuf van het raam. Zijn handen zochten tastend langs de vettige muur naar iets om zich aan vast te houden. Er stak iets uit dat leek op een warme, metalen doos. Hij sloeg zijn hand eromheen.

Op hetzelfde moment vonkten de uiteinden van zijn zenuwen als bliksem. Een kramp hield hem gevangen in een felle, onverdraaglijke pijn. Hij laaide sprakeloos totdat hij voelde dat hij met een ruk naar buiten werd getrokken en in het licht en het leven werd teruggebracht.

'O, mijn God.' Toen hij zijn ogen opsloeg, stond Tom over hem heen gebogen. Hij lag op de grond en ze beefden alle twee alsof de motor nog door hen heen dreunde. 'Hoe gaat het?' Toms gezicht was asgrauw. 'Je hebt het schakelbord vastgepakt, Salty. Mijn God, je had kunnen...'

Salty voelde hoe harde armen hem oppakten en hem als in een schroef omklemden. Zijn neus werd platgedrukt tegen de dikke, gemarmerde vulpen in het zakje van Toms overhemd.

'Het gaat alweer beter,' fluisterde hij bevend. Hij voelde zich als een geest. Doorschijnend. Al zijn kracht was weggeschroeid. 'Wat is er gebeurd?'

'Een schok. Je hebt net een elektrische stroom van 220 volt door je heen gehad.'

'O.' Hij haalde een tijdje adem, huiverend van koud zweet in de kokendhete lucht. Hij rangschikte Toms woorden in zijn hoofd. Dat was zeker een heleboel volt. Hij vermoedde dat Tom zijn leven had gered. Hij moest hem bedanken, maar het enige dat hij wilde was daar blijven liggen zonder te bewegen. Altijd, met zijn hoofd tegen Toms borst.

'Het spijt me,' mompelde Tom, meer een beweging dan een geluid. 'Mijn God, waarom heb ik niet *nagedacht...*' Zijn ruwe hand schuurde over Salty's haar. 'Je ervoor gewaarschuwd. Ik zou voor niets ter wereld willen dat je iets overkwam. Dat weet je toch wel?'

Salty sloeg weer zijn ogen op. Er stopte een auto. 'Het gaat alweer beter,' herhaalde hij en hij merkte dat hij Tom even stevig had vastgehouden als Tom hem.

Terwijl Tom ijs verkocht, rustte hij een tijdje, nog steeds verdoofd, maar hij was alweer aan het helpen toen Hardy kwam aanzetten en vroeg hoe het ging. Tom en Salty keken elkaar even aan en Salty begreep dat het hun geheim zou blijven.

'Jullie twee bonzen denken dat jullie het ver geschopt hebben?' vroeg Hardy, zijn hoed achterover schuivend. 'Ik heb ook een baan.' Hij genoot een ogenblik van hun verbazing. 'Bakkerij Feeney. Ik begin vannacht. Ik ga deeg kneden in de koude grijze dageraad, omdat ik poen nodig heb voor de koude, grijze huur. Ik ga zelfs de bestelwagen rijden.'

'Met één hand?' vroeg Tom.

'Feeney heeft een arm in Frankrijk verloren en hij rijdt ook. Hij zegt dat ik het kan.'

Salty lachte hem trots toe en hij vroeg zich af of Hardy

resten mee zou mogen brengen zoals zijn mamma dingen uit de keuken van Babe had meegebracht.

'Daarom,' zei Hardy met een van zijn acteurszuchten, 'nodigde ik mijn Rosie Annie uit voor een matineevoorstelling om het te vieren en zij zei wat is er te vieren en we kregen ruzie en ik liep het huis uit en hoe zou je het vinden om te komen zwijmelen over Theda Bara?'

Salty keek Tom met vragende ogen aan, in tweestrijd of hij zou gaan of blijven. Tom zei: 'Hoot Gibson en dat stel paardendieven lijkt me een betere keus.'

'Ik zal mijn best doen.' Hardy wikkelde een stukje ijs in zijn zakdoek – zijn echte zakdoek – en veegde Salty's kleverige gezicht af. 'Hoe komt het dat je zo bleek ziet?'

'Te veel watermeloen, denk ik,' zei Salty, Tom aankijkend.

'Ga maar,' zei Tom. De koele bedachtzaamheid was weer in Toms stem teruggekeerd. 'Maar denk erom dat je thuis bent om te helpen bij het avondeten.'

Aarzelend verliet Salty achter Hardy de loods. Het was afgelopen met de intimiteit. Misschien had hij het zich wel verbeeld of had hij zich ineens uit het raam laten vallen om het te laten gebeuren.

Ze zetten koers naar de bioscoop. Salty keek naar Hardy die als een cowboy met één hand een sigaret rolde. 'Waarom gaan we naar de film in plaats van naar huis om te schilderen?'

'Hoe eerder we schilderen, hoe eerder Tom de boel verkoopt en wij er allemaal uit moeten.' Hardy's sigaret was zo verkeerd uitgevallen dat hij hem tegen een brandkraan gooide. De tabak spatte naar alle kanten, net zoals alle mensen in de Buckley Arms uiteen zouden spatten als Tom het verkocht. Salty was terneergeslagen. Hij was overtuigd geweest dat Tom het huis opknapte om er te blijven, niet om het te verkopen. 'Nee, de werkelijke reden is dat ik ertussenuit wou. Ze foeterde me uit over die baan: "Hardy, het is 's nachts!" Geblèr. "Hardy, we hadden er eerst over moeten praten voordat je het aannam. Hardy, zoek een baan – maar niet deze." Oef.'

Salty bleef plotseling stilstaan. Even was de herinnering aan een gezicht door hem heen geschoten, bezorgd en afgemat. Het gezicht van Tom? Nee, maar bijna. Maar hoe kon hij dat weten? Het was jaren geleden en had hij niet geslapen?

'Wat is er?' vroeg Hardy.

'Niets.' Ze gingen verder. Behoedzaam zei hij: 'Kunnen we misschien naar het gerechtsgebouw gaan in plaats van dit te doen?'

'Waarom?'

Het speet hem onmiddellijk dat hij het te berde had gebracht. Het was iets dat hij alleen moest doen. Het ging hem alleen aan. 'Ik maakte maar een grapje. Ga je echt brood maken?'

'Wat blijft er anders over? Op een vlaggestok zitten? Een jojo-marathon winnen? Rolschaatsen naar Californië en filmster worden?'

Salty giechelde. Hij wist dat Hardy grappen maakte. Hij had Rose Ann om voor te zorgen. En de boon.

Ze bleven voor de aanplakbiljetten buiten de bioscoop staan. Een vamp met spuuglokken werd in haar hals gekust door een man met lakhaar. 'Hou je van dit zwoele gedoe?' vroeg Hardy.

Salty haalde zijn schouders op. Hij had liever Buck Jones en Silver gewild. 'Het is mij best.' De warme geur van popcorn lokte hen naar binnen.

Het theater was van een geluidsinstallatie voorzien, maar Salty hoorde alleen het orgel voor in de zaal; het was dus een stomme film. Ze stommelden de trap op naar het balkon. Dat was leeg op een dronken oude kerel na die goedkope whisky zat te lurken uit zijn holle wandelstok. Op het scherm zat een weelderig gevormde dame in een boudoir te telefoneren. Een Frans kamermeisje ving iets vreselijks op en trok een ontzet gezicht. Ze rende de kamer uit, waarbij de strik van haar minuscule schortje op en neer wipte.

Het was geen film naar Salty's smaak. Hij had een vreemd gevoel, omdat hij de plaats van Rose Ann innam. Zij zou het leuk gevonden hebben. Hij fluisterde: 'Misschien had je het haar toch nog een keer moeten vragen, aardiger.'

Hardy zuchtte. Hij maakte een rolletje mentholdrups open en mikte een zilverpapieren propje over de rand van het balkon.

Het was zijn zaak niet, wist Salty. Hij kon zich niet zomaar blootgeven en zeggen dat hij die dag heel intiem met iemand was geweest en dat hij dit wonder iedereen toewenste. 'Misschien had je van tevoren over het aannemen van nachtwerk moeten praten, dan was het niet zo'n onaangename verrassing voor haar geweest.'

'En de kleine verrassing dan die zij me bezorgd heeft?' vroeg Hardy zacht. 'Daar hebben we om de dooie dood niet over gepraat. Als zij het op zich kan nemen een baby te krijgen, kan ik het op me nemen een baan te aanvaarden om ervoor te betalen.'

'Wil je geen baby?' fluisterde Salty. 'Toen jij en Rose Ann er ruzie over maakten, zei ze dat je er eigenlijk wel een wou. Vanwege de droom.'

Hij voelde Hardy schokschouderen. 'De boon die de wereld zou veranderen? Zeker, misschien zou ik er vrede mee gehad hebben als het net was gebeurd. Maar ik neem het haar kwalijk dat ze me een poets heeft gebakken, verdomme. Ik wil niet aan banden gelegd worden. Ik wil getrouwd blijven omdat ik het wil, niet omdat ik een kind moet grootbrengen.'

Hij wou dat Hardy over de boon niet zulke dingen zei, terwijl het zo heerlijk was gewenst te worden, maar hij keek naar het flikkerende scherm en zweeg.

'Het kind kan het niet helpen.' Hardy slaakte een mentholzucht en gaf het rolletje aan Salty door. 'Op den duur wil ik best kinderen hebben. Natuurlijk. Kinderen zijn *jezelf*. Ze zetten je voort, van generatie op generatie. Ik kan best van een kind houden. Kom eens naar me toe, doe eens een stapje naar pappie.'

Hij zweeg verlegen en ze keken naar de film. Midden in een kus kwam het scherm vol flitsen en strepen en viel het beeld uit. Van beneden steeg boe-geroep op. Achter in de cabine kwam de film klepperend tot stilstand. Evenals de stroom gemompelde vloeken van de filmoperateur.

Salty verzamelde al zijn moed. 'Jouw kind boft. Ik bedoel, met een vader die grappen en trucs en zo uithaalt. En die lacht en plezier heeft.'

Hardy staarde naar het lege scherm. 'Dat is niet voldoende. Er is zo veel dat ik hem moet geven. Om hem een gelukkig en waardevol mens te maken. Dingen die ik heb gemist. Dingen die ik jou zie missen.'

Ze luisterden naar het gerommel in de cabine. De oude dronken kerel die het balkon met hen deelde, was steunend op zijn wandelstok in slaap gevallen. In het bemoedigende donker zei Salty: 'Ik wou dat jij mijn vader was.'

Hardy veranderde ongemakkelijk van houding. 'Je zult genoegen moeten nemen met de rol van oom Salty voor mijn kind.'

'Dat weet ik,' zei Salty. 'Maar...'

'Je moet niet zo inhalig zijn,' zei Hardy. 'Je hebt al een vader.'

Salty hapte naar adem die zo koud was als de lucht in de ijsloods. 'Wat bedoel je?'

'Je weet best wat ik bedoel.'

'Wat bedoel je?' vroeg hij, op onverklaarbare wijze tot op zijn botten verkleumd.

'Och, kom Salty. Doe niet langer alsof. Je bent een grote jongen. Je weet het een en ander.'

Het scherm kwam flitsend tot leven. Maar het was een tekenfilm. Krazy Kat zat in zijn bed te rillen omdat er een pot cold cream naast hem zat. Beneden in de parterre jouwde en floot het publiek. Het beeld viel weer uit.

'Mijn vader is omgekomen. In de oorlog. Daarom is hij nooit thuisgekomen.'

'Kletskoek, Salty. De hele idiote wereld is in de oorlog omgekomen. Niemand kwam onveranderd terug, naar onveranderde omstandigheden. Ook Tom niet.'

11

Salty hapte weer naar lucht. 'Ik weet niet wat je bedoelt,' fluisterde hij.

'Kom, Salty. Je bent te idealistisch. Je kunt niet leven zoals je ginds met je mamma en ma leefde. Zie de feiten onder de ogen.'

Hardy's schouder streek langs de zijne. Hij deinsde terug om iedere aanraking te voorkomen. 'Welke feiten? Je hebt geen feiten.'

'Salty, ik heb Dovies briefje gelezen. Weet je nog?'

De film begon. Het Franse kamermeisje werd achterna gezeten door een knappe man met een hoge hoed. Ze vond het leuk. Het orgel maakte trillers als ze zich achter deuren verstopte. Benen in zwarte zijden kousen. 'Dat waren geen feiten,' fluisterde hij. In zijn hoofd flikkerden de onvast geschreven woorden van zijn mamma als een gebroken film. Hou van hem. Hij zal je opnemen. Hou van hem.

'Salty, verder kom je niet. Niemand anders dan Tom kan je de feiten geven.'

'Maar hoe weet jíj dat dan?'

'Omdat het logisch was, van het begin af aan. Waarom Dovie je gestuurd had en jij bent gekomen. Waarom hij je in huis genomen heeft. Toms poging om met die zaak in het reine te komen, net als jij dat probeert. Hij zou niet zo veel moeite doen om zijn ware gevoelens te begrijpen als je niet iets voor hem betekende.'

Salty schudde zijn hoofd. De beelden dansten voor zijn ogen, zwart, wit, zonder betekenis. De deur van zijn herinnering ging weer open. Een gezicht keek naar hem. Hij keek terug door zijn wimpers, veinzend dat hij sliep.

Hij was toen vijf. De hand voelde zijn door de koorts verhitte wang. De ruwe hand.

'Hij heeft tegen me gelogen,' fluisterde hij.

'Bedoel je dat je het hem hebt gevraagd? Ronduit?'

'Nee, maar ik... ik heb gepraat over mijn vader. Ik heb hem gevraagd of hij wist wie.' Hij begon te gloeien van woede en verdriet. 'En hij zei dat het een vreemde was.' Het orgel dreunde. Hij verlangde naar die naamloze, gezichtloze vader. Die jonge soldaat, vertrokken om gedood te worden en nooit meer genoemd. Want Tom als vader, die hem zijn hele leven op straat voorbij was gelopen zonder hem te willen liefhebben of zelfs maar te kennen, was te pijnlijk om te verdragen. 'Hij heeft tegen me gelogen. Hij kan verrekken! Hij is de bastaard!'

'Kalm aan.' Hardy wierp een blik op de lege stoelen om zich heen. De oude dronkaard snurkte. 'Straks worden we er nog uitgegooid.'

'Waarom kan hij niet gewoon zeggen wie ik ben!'

'Om Babe, Salty. Het is iets dat hij haar niet kan vertellen. Hij zoekt andere wegen om het bij jou goed te maken. Door jou en ma in huis te nemen...'

'Waarom kan hij niet toegeven dat hij mijn vader is? Schaamt hij zich voor me?'

Hardy legde zijn goede hand op Salty's knieën. 'Wat maakt het uit wie je vader was? Of zijn vader was? Je bent wie je bent.'

'Dacht hij dat me iets mankeerde? Omdat mijn mamma niet kon praten? Is dat de reden waarom hij me niet wenste?'

'Salty, het enige dat je mankeert is dat je de zoon van Dovie bent en niet van Babe.'

Salty stond op. 'Nou, dat is geen reden genoeg.' Hij strompelde de donkere trap af naar buiten in de gloeiende middaghitte. Hij was nog nooit midden in een filmvoorstelling weggegaan.

Hardy kwam hem nagestommeld. 'Salty, luister. Ik weet dat het niet genoeg is. Je hebt een legitieme grief.'

'Wat betekent dat?' Het klonk als een ziekte.

'Het betekent dat je het recht hebt hem te haten.' Hij keek ontdaan. 'Salty, het spijt me. Ik had me er niet mee moeten bemoeien.'

'Waarom?' vroeg Salty terwijl hij zich langs mensen op het trottoir drong. 'Ik wist het al.' Hij geloofde bijna dat hij het had geweten. Het altijd had geweten. 'Op een keer is hij bij ons thuis geweest. Ik was ziek. Ik opende in het donker mijn ogen en hij zat daar. Ik was toen nog te klein om te weten wie hij was.'

Hij liep vlak voor een auto het trottoir af. Hardy rukte hem achteruit en hield zonder iets te zeggen een ogenblik zijn arm vast.

Ze staken de straat over naar de warme lucht van zeevis en pekel. Door het raam van de viswinkel staarde Salty naar het dode, verbaasde oog van een zeeduivel in een bak ijs. 'Vroeger wou ik dat hij nog eens kwam. Ik zei dan dat ik vreselijke buikpijn had. Maar ma gaf me wonderolie en hij kwam nooit.' Achter het raam zat een gele kat zijn poot te wassen en hem aan te kijken. 'Heeft hij haar verdriet gedaan?' zei hij tegen Hardy die achter hem stond te wachten. 'Mijn mamma? Ze hield van hem. Haar gezicht was mooi wanneer hij haar op regenachtige avonden naar huis reed.' De kat stond op en drukte zich tegen de ruit, bedelend om een aai die hij niet kon geven. 'Hield hij van haar?'

'Salty, het is heel lang geleden.'

'Hij hield vast niet van haar, anders zou hij haar wel behoorlijk behandeld hebben.'

'Salty, die dingen liggen niet zo simpel.'

'Als hij van mij hield, zou hij mij behoorlijk behandelen.'

'Salty, soms zijn mensen niet vrij om te doen wat ze graag willen. Tom is niet vrij. Je zult de dingen moeten aanvaarden zoals ze zijn. Hij zal niet toestaan dat je zijn leven in de war schopt.'

Salty sloeg een steeg in, opdat niemand zijn gezicht zou zien. De luchtjes van de zee droogden op tot stof van het land.

'Salty, jullie zullen het op een akkoordje moeten gooien, jij en Tom. Je houdt van ma en je wilt dat ze ergens kan wonen. Je hebt een belofte gedaan die je moet houden. Tom houdt van Babe en hij moet de beloften houden die hij haar heeft gedaan.'

'Waarom kan hij niet van míj houden?' De blinde muren van huizen rezen hoog op en hielden de zon weg van een smalle strook hemel met een netwerk van draden.

'Omdat hij net zo goed als jij bemind en geaccepteerd wil worden. Door Babe.'

'Hoe kon mijn mamma dan zeggen "hou van hem", terwijl ze wist hoe hij was? Ze heeft hém niet een briefje geschreven dat hij van míj moest houden.'

Ze kwamen uit op een andere straat, zo heet dat het hun bijna de adem benam. Hardy zei langzaam: 'Jouw mamma wist dingen over de liefde die de meesten van ons niet weten. Wat liefde werkelijk is in plaats van wat de meesten van ons ermee doen. Ik denk dat ze je wilde laten worstelen met dat briefje.' Hij hield stil bij een ijscokarretje en telde zijn penny's.

'Ik zal nooit van hem houden,' fluisterde Salty vol afgrijzen. 'Nooit. Ik geef niet meer om hem dan hij om mij.'

Hardy stak hem een hoorntje toe dat gevuld was met twee scheefstaande bollen chocolade-ijs. Salty draaide het de rug toe en liep door. Het trottoir werd beurtelings fel licht en donker, filmbeelden vormend van zon en schaduw waar hij overheen liep.

Hardy kwam hem achterop en zei: 'Hé, eet op voordat het smelt.'

Zijn maag kwam in opstand. Hij bleef onder aan de stoeptreden van het gerechtsgebouw staan, maar slechts zijn smalle schaduw liep zigzaggend omhoog. Uit de ingang kwam de lucht van kwispedoors en rechtszaken en het stof van kaartsystemen.

Toen ze een hele poos zwijgend hadden gelopen, pakte Hardy Salty's arm en bracht hij hem naar huis.

'Het is alleen maar de hitte,' zei hij tegen Babe toen ze opkeek van koekjes bakken en Salty's asgrauwe gezicht zag. 'Hij moet gewoon een tijdje afkoelen.'

Hardy keek omhoog naar Rose Ann die in de deuropening van hun kamer stond. Hij haalde diep adem en ging hun ruzie bijleggen.

Salty stevende langs Babe rechtdoor naar de achterdeur en ging naar buiten. Hij ging bij Tolly zitten. Zijn botten deden pijn. Alle misselijk makende woede die hij naar zijn achterhoofd had verdrongen toen ze het huis binnenkwamen, begon hardnekkig te kloppen als gevangenen die eruit willen. Het was niet de hitte. Hij was ziek. Hij had legitieme grieven. Een vreselijke ziekte die hij nog nooit had gehad en die haat heette.

Ma zat in haar schommelstoel voor het raam van haar kamer. Eigenlijk moest hij gaan kijken of ze iets nodig had. Maar hij verroerde zich niet. Wat kon hij tegen haar zeggen? Ze had toch zeker ook tegen hem gelogen, evenals Tom?

Dat was misschien niet eerlijk – misschien wist zij het ook niet. Misschien had zijn mamma zwijgend potlood en papier opzijgeschoven toen ze het vroeg en dat geheim met al het andere veilig bewaard.

Misschien was dat de plaats waar het thuishoorde, bij zijn mamma in het graf.

Babe kwam naar de keukendeur en keek naar hem. Hij streek Tolly's knetterende zijden veren glad totdat ze weer naar binnen ging.

Hij wist niet wat hij nog tegen Babe kon zeggen. Hij hield bijna van haar. Hij was opgegroeid met de resten van het eten dat ze zo heerlijk klaarmaakte. Zij had zijn leven niets te kort gedaan. Ze wist niet eens dat hij recht had op een deel van de liefde die Tom haar zo lang had gegeven.

Tolly's fijne tandenrijtjes schraapten zacht over zijn vingers. Hij verdrong alles weer naar zijn achterhoofd en deed de deur dicht. Hij kon niet zacht zijn tegen Babe. Ze was een tegenstrijdige vrouw. Ze had zich immers al tegen ma gekeerd. Wanneer ze zich tegen hem keerde, moest hij voorbereid zijn.

Tolly stond geduldig naast hem kopjes te geven; hij had zijn ene vliegemeppersvoet over de andere geslagen, zodat hij beslist bij de eerste de beste stap op zijn bek zou vallen. Salty streelde hem en bewoog langzaam om te voorkomen dat hij zou gaan braken.

Hij kon mensen kwetsen. Hij had nog nooit zo'n macht gehad. Hij had levens in zijn hand. Het maakte hem zo bang als hij nog nooit was geweest. Hij had misschien beter die morgen gewoon kunnen doodgaan. Door de blote draden van dat schakelbord te pakken en vast te houden tot zijn hersens waren verschroeid. Zodat hij nooit meer zijn ogen had opgeslagen of Toms armen om zich heen had gevoeld. Babe riep hem naar binnen. Toen hij zwijgend langs haar liep, legde ze haar hand op zijn gloeiende voorhoofd. Hij trok het met een ruk terug.

'Ga je fris wassen,' zei ze. 'Ik zal een kwast voor je maken.'

Hij ging naar bed in het vreemde, stille schijnsel van de ondergaande zon. Hij hoorde de vloer kraken toen ze allemaal hun stoel aan tafel schoven. Hij begreep niet hoe ze het deden, de volwassenen, gewoon kijken terwijl ze krioelden van de geheimen, het tegenovergestelde zeggen van wat ze voelden. De avond trilde van de hitte. Hij woelde en zweette en staarde naar het vager wordend plafond en wachtte tot zijn misselijkheid zou overgaan.

Toen in de nacht een hand hem aanraakte, sprong hij op als een sprinkhaan. Iemand die zich over hem heen boog maakte de grijze hemel voor het raam onzichtbaar.

'Salty, wil je me een plezier doen?' Het was Jo in een geleend nachthemd van Babe, bolstaand als een schip met volle zeilen.

'Nu?' fluisterde hij terwijl hij het laken tot zijn kin optrok.

'Alsjeblieft. Ik ben bang.'

'Is de baby in aantocht?' Hij ging rechtop zitten en kreeg het koud.

'Nee. Er is een auto. Hij staat voor het huis, onder de bomen. Ik kan hem niet goed zien, het is zo donker, maar...' Haar adem stokte. 'Ik weet dat het idioot klinkt, maar...'

'Wil je dat ik ga kijken of het een Packard two-seater is?'

'Zou je dat willen doen? Vind je het niet erg? Ik moet het weten.'

'Natuurlijk,' zei Salty, een rilling onderdrukkend. Zijn maag was tot rust gekomen. Hij pakte zijn overal. 'Denk je dat hij je heeft gevonden? Waarom zou hij dan wachten?'

'Ik weet het niet. Het kan hem eigenlijk niet zijn. Maar als hij het nu eens wel is?'

Salty liep op zijn tenen de trap op en de keuken door, tastend naar de deur. Een nieuw, koel briesje kwam hem tegemoet toen hij om het huis sloop. Hij liep naar de auto onder de wemelende schaduwen van de bomen. Het was een Buick met een lekke band. Iemand was naar huis gaan lopen en had de auto daar laten staan om hem 's morgens te repareren.

Ze zat op zijn bed toen hij terugkwam.

'Nee,' fluisterde hij.

'Goddank,' zei ze met haar hese stem. 'Goddank. Dank je, Salty. Het spijt me dat ik je wakker heb gemaakt. Ik kon niet slapen en toen ik langs het raam liep en buiten de vorm van een auto zag...' Hij hoorde haar onregelmatig ademhalen. 'Ik dacht dat hij was gekomen om me te halen.'

Hij wist niet precies wat hij moest doen. Hij stond aan het voeteneind van het bed en deed zijn best niet slaperig te zijn. 'Misschien vindt hij je nooit.' Hij balanceerde op de buitenkant van zijn voeten.

'Vast wel. Op een gegeven moment gebeurt er iets. De zaak kan niet zomaar in onzekerheid blijven.'

'Je geeft nog om hem,' zei hij teleurgesteld.

'Ik hou nog van hem. Maar ik verafschuw het werk dat hij doet. Zoals het geld binnenkomt. Illegaal. Ik vind het afschuwelijk zoals het ons verandert, terwijl we vroeger aardige, leuke mensen waren. Ik weet niet hoe ik het later aan dit kind moet uitleggen.'

De bedveren piepten hevig toen ze voorover boog en haar hand voor een heel diepe zucht sloeg.

'Wat is er?' Hij vergat bijna te fluisteren.

'Alleen maar een kramp. Wat ze valse weeën noemen.'

'Heb je een dokter nodig?'

'Nee. Ik heb ze al eerder gehad, maar niet zo lang als nu. Het is gewoon een soort van oefening voor wat me te wachten staat.'

'Wil je dat ik Babe ga roepen of wat dan ook?'

'O, jemig, dat is nu precies wat ik niet wil. Dit huis in opschudding brengen. De Buckleys zouden het huis vol halen met dokters en politie en Kell en wat niet al.'

'Wil je dat ik wegga?' vroeg hij.

'Wat? Nee. Ga weer naar bed. Ik dacht niet na. Ik blijf hier nog even aan het voeteneind zitten. Een paar minuutjes maar. Om weer moed te krijgen.'

Hij kroop schuchter in zijn overal in bed, pogend haar niet met zijn tenen aan te stoten.

Ze zei: 'Ga maar weer slapen. Ik weet dat je moe bent na vandaag.'

Je weet niets van vandaag, dacht hij, maar hij knipperde met zijn ogen en zei: 'Ik heb geen slaap.'

'Ik wel.' Ze zwegen weer; ze voelden zich bij elkaar op hun gemak. 'Misschien komt er regen,' mompelde ze. De bomen zeiden iets in de wind die afkomstig was van een verre onweersbui.

Toen hij in het donker wakker werd, lag ze opgerold op het voeteneind van zijn bed. Hij dacht dat hij haar hoorde snikken, maar de bomen ruisten en hij wist het niet zeker. Misschien huilde ze. Ze had het recht om te huilen. Om haar de ruimte te geven rolde hij zich tot een bal op.

De volgende keer rukten haar bewegingen hem uit de slaap. Ze maakte de grommende geluiden van vechtende jongens en ze hield de ijzeren bedspijlen zo stevig vast dat het bed schudde.

'Hoe gaat het?' fluisterde hij.

'Ga slapen.' Nu wist hij zeker dat ze huilde. 'Ik stond juist op het punt om weg te gaan.' Toen schokte ze als een echte bokser wanneer een echte vuist hem een dreunende slag toebrengt.

'Hoe lang duurt dit valse gedoe?' vroeg hij, dodelijk bezorgd om haar.

'Niet zo lang als nu.'

Hij kwam met een ruk overeind. 'Bedoel je dat dit geen oefening meer is?'

'Als dit oefenen is, blijft er niet genoeg van me over voor de echte vertoning.'

'Bedoel je dat de baby nu komt?' Hij sprong uit bed om plaats voor haar te maken. Hij wist niet precies waarvoor. 'Hé, je kunt niet zomaar... hier...' Zijn haren rezen te berge. 'Als er nu iets gebeurt!'

'Er gaat zeker iets gebeuren, malle jongen. Gauw, hoop ik.'

'Maar ze zullen zeggen, waarom heb ik ze niet wakker gemaakt of een dokter gehaald of...'

'En dan zeg jij dat ik dat niet goedvond.' Ze klonk weer gewoon. 'Hé, dit gebeurt al sinds duizenden en duizenden jaren. Doe niet zo zenuwachtig en geef me de kans om me te concentreren.'

Hij ging weifelend op het hoofdeind van zijn bed zitten. Hij wist dat mensen en dieren en insekten en iedereen iedere seconde geboren werden. Het was de natuurlijkste zaak van de wereld. Behalve wanneer het iemand was om wie hij gaf en in zijn bed.

'Ik kan je misschien beter alleen laten. Zal ik weggaan?'

'Hé, dan ga ik met je mee,' hijgde ze. 'Dit is geen pretje.' Ze pakte zijn hand in de klemgreep waarmee ze hem had vastgehouden toen ze op weg waren naar de Buckley Arms. 'Je moet niet bang zijn. Ik ben niet bang. Maar blijf nog even.' Haar adem stokte, maar ze merkte het en begon langzaam en diep te zuchten. Haar greep werd losser. 'Nog heel even. Mijn excuses. Ik heb een warboel van je bed gemaakt. Een warboel. Denk ik. Dat ben ik zelf.'

'Zal ik ma halen? Zij weet wel hoe of wat.'

'Nou, en of. Acht kinderen en drie in leven. Nee, laat haar maar slapen. God. Dat is moedig. Acht keer.'

Ze richtte zich op haar ellebogen op, overvallen door een kramp. 'Is er niets?' vroeg Salty wanhopig. 'Niets dat je verlichting kan geven?'

Toen ze weer kon, zei ze: 'Denk er niet over. Ik doe het ook niet. Ik denk erover dat er iemand in aantocht is die anders is dan iedereen die tot nu toe heeft geleefd. Zo bijzonder dat ik erop terug zal zien. En zeggen. Het was allemaal de moeite waard.'

Ze hielden alle twee het bed vast, net als ma die haar schommelstoel door haar dromen stuurde. De hemel was nog zwart, maar de naderende morgen was voelbaar. De wolken waren dichterbij gekomen en flikkerden van elektriciteit.

'Wil je iets hebben? Het licht aan?'

'Nee. Ik zou me verbeelden dat er gezichten naar binnen gluurden. Hoe dan ook, het is niet zo dat dit kind door de kamer vliegt en ik moet proberen het te vangen.'

Hij ging naar het raam en keek omhoog naar het donkere stukje hemel. Iemand werd geboren op vrijdag, 28 juni, 1929. Hij vroeg zich af of dit eens een datum in de geschiedenisboeken zou zijn. Hij vroeg zich af of dit het begin was van iets geweldigs of vreselijks of wereldschokkends, zonder dat iemand het wist.

'Salty,' zei ze met een uitgeputte stem. 'Ik ben moe – nog nooit zo hard gewerkt – maak je niet ongerust – als ik niets meer zeg – ga naar boven – naar de veranda – haal de wasmand – alles, zodat we hem kunnen inwikkelen – kan hem niet aan de wereld vertonen – gehuld in kranten.'

Ze ging weer aan het werk en maakte dezelfde kreunende geluiden als de onder de wind zwoegende bomen.

Hij vloog de trap op, blij dat hij zich eindelijk nuttig kon maken. Hij zocht tastend de veranda af naar de mand. Zijn hand kwam niets tegen. Toen wist hij het weer. Die ochtend had Babe hem naar buiten gestuurd om de kleren van de lijn te halen en hij was halverwege opgehouden om Tolly's waterbak te vullen.

Hij kon het wasgoed onderscheiden dat nog als witte schimmen klapperde in de wind. Hij vond de mand die tegen het hek was gewaaid en begon zo snel mogelijk het wasgoed erin te proppen. Als Tolly wakker werd en ging snateren, zou het hele huis wakker worden. Babe zou zich het wasgoed herinneren en met een vaart naar buiten komen om het binnen te halen. Bezorgd pakte hij alles, zelfs sokken, terwijl hij alleen maar iets nodig had om een baby in te wikkelen.

Hij slaagde erin het huis weer te bereiken en slaakte een diepe zucht. Uit de andere kamers kwam geen geluid. Hij ging weer naar beneden onder de berg, waar Jo bezig was geschiedenis te maken.

12

Nog voor hij bij zijn deur was hoorde hij haar hijgen. Ze probeerde een manshoge kei tegen een heuvel op te duwen. Of een verongelukte trein van haar benen te tillen. Of in een draaikolk het hoofd boven water te houden. Hij liet zich, met de mand nog in zijn handen, op de koude vloer zakken en steunde met zijn rug tegen de muur. Zijn eerste gedachte was om ma wakker te maken en haar als een razende aan het bidden te zetten. Maar bij nader inzien bedacht hij dat hij het zelf sneller kon. Bij iedere ruk van de springveren begon hij in gedachten steeds vlugger en luider opnieuw. Alsjeblieft, God, help haar. Alsjeblieft, God help'r. O, verdomme, help haar!

Toen hield het onregelmatige ademen op en waren het alleen de bomen die golfden en ruisten. Hij krabbelde overeind, bang dat ze dood was. Hij dwong zich om een stap in zijn kamer te zetten. Ze lag beschermend om iets heen gebogen dat een korte, boze schreeuw gaf. Ze antwoordde met, 'Hé, hallo.'

Hij zette de mand naast haar neer. 'Is het... heeft het...'

Ze raakte hem met een vochtige, kleverige hand aan. 'Hier zijn we dan,' fluisterde ze, zo moe en trots dat hij een brok in zijn keel kreeg. 'Maar we moeten even rusten.' Ze rolde zich weer op. Hij zag haar witte tanden lachen tegen een hoofd als een grapefruit dat ze in haar hand hield.

Hij ging weer buiten de deur zitten, die hij open liet voor het geval ze wat wou zeggen. Hij voelde in zichzelf de weerklank van haar opluchting en dankbaarheid. Hij wilde giechelen en slapen en het nieuws luid schreeuwend aan iedereen verkondigen. Als Issy Auckay het bij het rechte eind had, had hij zojuist zijn kamer geleend aan het kind dat de wereld zou veranderen.

Hij vermoedde dat hij ook zo op de wereld was gekomen, in een uitbarsting van pijn en blijdschap. Of misschien alleen pijn. Hij hoopte, ter wille van zijn mamma, dat hij het had goedgemaakt of nog kon goedmaken.

Hij sliep als een blok toen Babe zich in de stormachtige ochtendschemering over hem heen boog en zei: 'Salty, wat ter wereld...?' Nog voor hij bij kon komen, stapte ze over hem heen zijn kamer binnen en gaf ze een gil als een stoomfluit.

Toen hij naar de deur vloog, stormde zij naar buiten en ze blokkeerde de toegang als een tank.

'Nee! Salty, buiten blijven.' Hij ving een glimp op van Jo's wakker geschrokken gezicht en de bloedvlekken op het bed voordat Babe de deuropening versperde. 'O, godbewaarme. Ik weet niet hoe ik een navelstreng moet doorknippen. Hoe? Ik moet me alles zien te herinneren wat ik ooit heb gehoord...' Ze pakte hem bij zijn schouders. 'Hoe komt het dat ze hier in het *souterrain* is?' Ze liet hem los alsof hij haar geschroeid had. 'Nee, ik zou het niet geloven. Ga vlug naar boven. Zeg tegen Tom dat hij een pan warm water moet brengen. Een waslapje. Touw. Dat hij de schaar in de ketel moet gooien...'

'Schaar!' riep hij uit.

'Zeg tegen Tom dat hij een ander nachthemd moet meebrengen. En een schoon gescheurd laken.'

Hij wankelde weg, zijn hoofd tollend van haar instructies. Tom stond boven aan de trap. 'Ik heb haar gehoord. Het lijkt erop dat ze in de kraamverzorging gaat.' Het verbaasde hem dat Tom er net zo uitzag als gisteren. Maar waarom ook niet? Ze verzamelden haastig de dingen waar Babe om had gevraagd. Tom zei: 'Je moet een zware nacht gehad hebben. Waarom heb je ons niet gezegd wat er aan de hand was?'

Als antwoord op alles wees Salty door een raam naar de Buick die voor het huis geparkeerd stond. 'Ze was bang. Ze dacht dat haar man haar had gevonden.'

'Wat bedoel je?' vroeg Tom scherp.

Hij slikte. 'Dat is alles wat ze zei. Ik weet niet wat het betekent.'

Tom zuchtte. 'O.'

Ze gingen naar Salty's kamer. Babe deed de deur net ver genoeg open om in ontvangst te nemen wat Tom haar gaf en sloeg hem weer dicht. 'Blijf buiten. Alles is goed. Ik ruim even de boel een beetje op.'

Ze bleven buiten de deur staan. Tom zei: 'Babe is in staat om de gemeentelijke vuilnisbelt op te ruimen.' Ze werden verlicht door de roze bliksem van een naderend onweer. Na een donderslag vroeg hij: 'Jongen of meisje?'

Salty haalde zijn schouders op. Hij had er niet aan gedacht het te vragen. Hij wilde alleen maar dat Tom weg zou gaan en hem alleen liet wachten tot Jo hem nodig had.

De baby begon met luide aanvallen van boosheid te schreeuwen. Babe stak haar hoofd buiten de deur. 'Tom. Ze moet terug naar haar eigen kamer. Denk je dat jullie samen...'

'Ik kan haar alleen dragen,' zei Tom.

'O, Tom, dat heb ik liever niet; je hebt zo gehoest.'

'Ze kan niet veel zwaarder zijn dan honderd pond ijs.' Hij ging naar binnen. Salty volgde. De baby lag in de mand, gewikkeld in een van Babes zachte onderjurken van de waslijn. Het enige dat ze konden zien waren roze kaken die onder dichtgeknepen ogen een schreeuw gaven. Babe pakte de mand op.

'Salty mag hem dragen,' zei Jo zacht.

'Hem?' vroeg hij.

'Hem. Precies zoals ma zei.'

Babe stond met tegenzin de mand af. De baby werd stil. Tom tilde Jo in haar schone nachthemd op en ze begonnen aan de voorzichtige klim naar haar kamer. Plotseling brak het onweer met het geluid als van krakend gebeente los. Ze klommen erdoor naar boven terwijl de donder de trap afratelde en een vlaag regen tegen de ramen overstemde.

Salty voelde zich zo trots dat hij bijna vergat te ademen. Hij wou dat hij kon stoppen om het ma te laten zien, maar haar deur was dicht. Hij volgde Toms rug, terwijl Babe achter hem eindeloze instructies ten beste gaf.

Tom stopte Jo in haar eigen bed en ging zitten om op adem te komen. Jo strekte haar handen uit. Salty legde de baby, als een tikkende bom, in haar armen.

Tom zei: 'Mevrouw Miller, je hebt een risico genomen. Als er iets was misgegaan, hadden we in een wespennest van moeilijkheden kunnen komen.'

Jo sloot haar ogen. 'Het spijt me dat ik jullie al die last bezorg. Ik had niet verwacht dat het zo gauw zou gebeuren.'

'O, Tom,' kwam Babe tussenbeide, 'ze is jong en gezond. Jouw moeder had ook geen dokter of zelfs maar een vroedvrouw. Ze heeft me wel honderd keer verteld over de sneeuwstorm en dat jij een hele dag eerder kwam dan de dokter hier kon komen.'

'Dat bedoel ik niet,' zei Tom. 'Ik bedoel dat we niet de verantwoordelijkheid voor je kunnen dragen, mevrouw Miller. Of je moet je met je man in verbinding stellen of ik moet de politie vragen hem op te sporen.'

Jo drukte haar trillende vingers tegen haar lippen. 'Doe dat alsjeblieft niet,' fluisterde ze. 'Nog niet.'

Babe keek Tom woedend aan. 'Hij zal het niet doen, liefje. Maak je maar geen zorgen. Rust uit.'

Ze keken allemaal om. Rose Ann stond in de deuropening en trok haar badjas om zich heen. Even zocht Salty naar Hardy, voor hij zich herinnerde dat hij naar de bakkerij was.

Tom zei: 'Kom eens kijken naar wat de ooievaar ons heeft gebracht.'

Ze kromp ineen voor de donderslag. Een windvlaag deed het huis schudden en plakte bladeren tegen het raam. 'Ik dacht dat er een wervelstorm op komst was toen ik iedereen hoorde rondlopen.'

Ze bleef net in de deuropening staan en hield haar ogen op Jo gericht. 'Maar dat is blijkbaar niet zo.'

'Kom eens naar mijn zoon kijken,' mompelde Jo.

Rose Ann trok haar badjas nog dichter om zich heen. 'Ik vind onweer vreselijk.' Ze deinsde terug voor weer een bliksemflits. 'Ben je niet bang? Zo helemaal alleen? Een baby zonder vader, zonder familie, zonder huis? Lieve God, ik wil mijn baby niet in een huurkamer krijgen.' Er viel een donderslag en ze was verdwenen.

Babe zei treurig: 'Wat bezielde Hardy om nachtwerk aan te nemen juist wanneer ze hem het meest nodig heeft?'

Ze keken allemaal, weinig op hun gemak, een andere kant op. In een ogenblik van stilte hoorden ze een druppel van het plafond vallen. Tom zuchtte. 'Er is daar boven nog werk aan de winkel.' Hij haalde een emmer om eronder te zetten. Ze luisterden naar het plompend geluid van druppels. Salty wist wat Hardy had bezield. Deze malle oude ark van een huis en de samengeraapte familie die het bevatte.

Babe zette de mand op twee stoelen naast het bed en ging de kamer uit. Ze kwam puffend terug, opende een kartonnen doos op het voeteneind van het bed en hield verlegen dingetjes van witte stof omhoog.

Jo zei: 'O, mevrouw Buckley, ik zou niet kunnen.'

'Ach wat, wil je dat hij opgroeit in een kunstzijden onderjurk?' Ze streek het kleine goedje glad. 'Ze zijn oud, maar ze zijn schoon.'

'Wat is er in die doos?' vroeg Tom.

Babes lach ging over in bedachtzaamheid. 'Ze kunnen nu eindelijk voor iemand dienst doen. Ik wil dat zij ze gebruikt.'

Tom trok ze uit haar handen. Een gebreid schoentje, zo groot als zijn duim, viel op de grond. 'Heb je die rommel bewaard? Al die jaren?'

Jo zei zacht: 'Heb je een miskraam gehad?'

Tom propte de dingen weer in de doos en smeet het deksel dicht. De lucht van stof wolkte ervan op. 'Keer op keer op keer,' zei hij en hij ging de kamer uit.

Babe keek hem na. Het door de regen misvormde licht dat door het raam viel beefde over haar gezicht. Ze vermande zich.

'Salty, ga voor het ontbijt zorgen, anders gaat hij zonder iets in zijn maag naar die stomme baan. Ik kom beneden zodra ik dit schatje lekker heb ingestopt in een ponnetje en een deken.' Ze probeerde op alle mogelijke manieren de luier te vouwen totdat Jo ervan moest giechelen. 'Heb je zin in een lekkere kop thee?' vroeg ze. 'Misschien een geroosterde boterham?'

'Ik zou liever ham en eieren willen en een liter melk,' zei Jo. 'Ik rammel.'

Salty ging naar beneden om de boel klaar te zetten, maar toen hij Tom in de keuken koffie zag inschenken, zette hij koers naar de kamer van ma.

'Jo heeft een baby. Vanochtend hebben we een nieuwe baby gekregen,' vertelde hij haar trots. 'U had gelijk, het was inderdaad een jongen.'

'Nu al?' zei ma verwonderd en ze lachte zonder haar tanden. Ze haalde ze uit haar zak toen ze eraan dacht en at ze als het ware in twee happen op. 'Wel, God zegene dit kleine nieuwe kind. En geve hem een liefhebbende wereld om in te leven.'

Salty bleef dralen om haar naar het ontbijt te brengen, want hij zag ertegen op om met Tom alleen te zijn. Ma bond haar stok met de veter om haar middel vast en trippelde langzaam naar de eetkamer. Maar zonder Jo wilde ze het niet riskeren. Ze volgde hem naar de keuken. Tom had een leeg koffiekopje achtergelaten en was verdwenen.

Rose Ann wachtte tot Hardy van de bakkerij thuiskwam om samen te kunnen eten. Salty warmde de koffie op, zette ham en beschuit klaar en kookte eieren voor ze. Toen hij in de eetkamer kwam, zag hij ze tegenover elkaar aan tafel zitten in plaats van naast elkaar.

Hij dacht dat ze over de baby zouden praten, maar Hardy zei: 'De laatste keer dat je bij die eigenwijze zuster van je op bezoek was, heeft ze je overgehaald om je haar af te knippen. Ik wil niet dat je gaat.'

'Lieve hemel, Hardy, het is maar een simpel bezoekje,' zei Rose Ann met een nerveus lachje. 'Bovendien, we hebben vakantie van elkaar nodig – tijd om na te denken. Maar een paar dagen.'

'Geen denken aan. Ik wil niet dat je gaat. Ook al hadden we het reisgeld. Zij denkt voor je wanneer je bij haar bent.'

'Maar jij mag me dan zeker wel zeggen wat ik moet denken.' Rose Ann voelde Salty achter zich en verstrakte. 'Ik heb haar al geschreven dat ik kom.'

'Schrijf haar dan maar dat je zojuist van plan bent veranderd.' Hardy gooide Salty een donut toe die hij in een stuk vetvrij papier had meegenomen.

Rose Ann stond op. Ze vatte moed om iets te zeggen dat haar zowel scheen te verbazen als bang te maken. 'Ik heb haar gevraagd me geld te sturen voor een kaartje. Wanneer het komt, ga ik.'

'Verdomme, Rosie, ik betaal voor wat je doet.'

'Hardy, het gaat om ons beiden. Begrijp je niet dat ik probeer te helpen?'

'God,' zei hij. 'Heb je dit huwelijk al niet genoeg geholpen?'

Ze liet hem alleen aan zijn ontbijt zitten. Salty hing achter hem rond, niet zeker wetend of hij nog nodig was. De uiteinden van Hardy's haar die buiten zijn bakkersmuts waren gebleven waren bestoven met meel. Hij zag er ouder uit dan gisteren. Salty bracht het bord van Rose Ann naar de keuken en kwam terug om weer te wachten, ondertussen knabbelend aan zijn donut.

Eindelijk zei Hardy: 'Ik heb dus alle opwinding gemist.' Salty knikte en vroeg zich af of Hardy het jammer vond dat de baby van Jo de uitverkorene was. 'Denk je dat de nieuwe mama mij het kleine wonder wil laten zien?'

'Ze heeft het mij laten zien,' zei Salty.

Die hele middag hield Babe vol dat Jo moest rusten. Salty zat op de trap te wachten. Toen Babe eindelijk kwam zeggen dat hij haar mocht bezoeken, lag hij op de grond te slapen. Iedereen had al gegeten toen hij wakker werd. Babe had avondeten voor hem bewaard. Hij at dankbaar alleen, verrichtte zijn huishoudelijke werkzaamheden en ging naar bed.

Maar hij lag wakker op het bed waar een nieuw kind moeizaam zijn weg naar de wereld had gebaand. Langzaam maakte hij in gedachten een ronde door het huis, zoals iemand die het laatste op is zou kunnen doen en hij ging de slapenden in hun kamers na. Ma snurkte. Tom en Babe gleden als een aardverschuiving naar het dal dat hun gewicht had gevormd. Hardy en Rose Ann lagen ieder aan een rand, zonder elkaar aan te raken, totdat hij opstond om naar zijn werk te gaan. En Jo glimlachte in het donker terwijl ze luisterde naar een ademhaling die er nog niet eerder was geweest.

Ten slotte keerden zijn gedachten naar zijn eigen kamer terug en hij zag de lelijke, schonkige knoedel van zichzelf, opgerold in de holte van het bed.

13

Zaterdag mocht Salty van Babe het ontbijt naar Jo brengen. Jo had de baby op schoot en hield zijn rode, opgetrokken benen vast terwijl ze een luier onder zijn magere billetjes legde.

'Oef,' lachte ze. 'Ik ben bijna net zo hulpeloos als deze kleine Stinkerd. Hoe moet hij een andere wereld maken als ik hem niet eens een andere luier kan geven?' Ze gaf Salty de vuile luier om in een oude po te doen die Babe uit de kelder had gehaald. De baby had een brede band om zijn middel, alsof hij in tweeën gebroken en gerepareerd was.

'Doet hij nooit zijn ogen open?' Ze waren zo stijf dichtgeknepen als de ogen van Salty wanneer hij geen zin had om wakker te worden.

'Over een paar dagen krijgt hij meer belangstelling voor de wereld.' Ze lachte. 'Dat geldt ook voor mij. Nu wil ik alleen maar eten en slapen en naar hem kijken.'

Met een liefdevol gebaar gaf ze de baby aan Salty. Hij pakte de deken die doorzakte van het warme vrachtje en legde hem voorzichtig in de mand. De baby gaf kleine belletjes op als laatste snikjes onder water en beproefde de droge lucht met zijn inktvisarmen.

'Hardy is hier gisteravond geweest,' zei Jo zacht. 'Hij heeft een hele tijd naar de baby gekeken. En hij nam zijn voetje in zijn hand en zei: "Ik wil er net zo een als hij."'

'Heeft Rose Ann hem dat horen zeggen?'

'Nee,' zei ze. 'Had ze dat maar wel.'

Salty ging naar het raam. De eigenaar van de Buick had de lekke band gerepareerd en was weggereden.

'Gaat hij de wereld veranderen?' vroeg hij.

'O, Salty. We veranderen toch allemaal de wereld, door er een tijdje ruimte in te nemen en elkaars leven te beïnvloeden? Door huizen te schilderen? Brood te kopen?'

Hij zweeg teleurgesteld, hoewel hij wist dat ze gelijk had.

Het leek hem niet genoeg alleen maar een flauwe duimafdruk op het leven achter te laten.

'Ik lig hier aan zulke rare dingen te denken,' zei Jo. 'Zijn nekje. Zijn kleine, vertrouwende nekje. Ik heb eens een afbeelding gezien van een galgeboom die ze in de Franse Revolutie gebruikten, een boom die vol hing met lijken. Mannen die eens net als hij waren en in de armen van hun moeder lagen en ik begon als een gek te huilen en voor hem te bidden, voor wanneer hij dertig zal zijn en oud zal zijn. Alles is zo intens. Alsof ik nu twee zenuwgestellen heb om de wereld mee te voelen, het zijne en het mijne.'

Salty keek hoe de baby duwde en trapte en snurkte en hij kon iets van haar angst voor zijn hulpeloosheid meevoelen. Als hij hen nu eens nodig had en niet kon zeggen, niet kon aanwijzen wat hem pijn deed? Niet eens kon leven als ze die kamer verlieten, wat dan?

'Ik voel me even nieuw als hij,' zei ze, aanvallend op haar ontbijt. 'Ik voel me zo energiek. Zelfverzekerd genoeg om eindelijk mijn eigen leven te regelen dat tot nu toe altijd iemand anders voor me heeft geregeld.'

'Ga je je man inlichten, zoals Tom zei?' Hij wilde niet dat ze het deed. Hij wilde van haar leren hoe je je tegen iemand staande moest houden. Hoe je voor alles je ogen moest sluiten behalve voor verzet.

Ze veegde de kruimels op haar blad pijnlijk nauwkeurig op. 'Ik moet wel, vind je ook niet?'

'Nee.'

'Ik moet wel, Salty. Dit is zijn zoon. Als ik daarginds was en me afvroeg waar hij was, of hem iets was overkomen – zou ik het willen weten.'

'Maar je hebt hem verlaten. Of niet soms?' Plotseling kon hij niet velen dat ze water in de wijn zou doen. 'Hij heeft gelogen. Hij heeft mensen blind gemaakt! Wat is dat voor een vader? Je bent beter af zonder hem.'

Hij keek woedend naar de stralende morgen, voelde dat ze haar blad wegschoof, voelde haar ogen.

'Dat weet ik allemaal,' zei ze vriendelijk. 'Je bent iemand met een warm hart, Salty. Zeg me iets beters. Help me te bedenken wat ik moet doen.'

Haat hem, zei hij bij zichzelf. Haat hem. Laat me zien hoe. Hij perste zijn lippen samen. Aan de overkant verscheen Idalee, achtervolgd door een stroom van scheldwoorden binnenshuis, op de veranda van de Eversoles en ze bleef in de zomerzon staan huilen.

'Ik heb geen warm hart,' zei hij.

'Dat mag je niet zeggen. Wat scheelt eraan? Kun je het mij vertellen?'

'Nee,' zei hij.

Ze staarden door het raam naar de morgen. Jo trok ten slotte het blad weer naar zich toe en at verder.

Om twaalf uur wilde ma niet komen eten. Salty kreeg eindelijk de reden uit haar los. Toen hij boven was bij Jo, was Babe midden in het ontbijt van ma bedrijvig de keuken binnengekomen en had de schalen opgeruimd.

'Maar, ma, u moet eten,' zei hij.

'Nee, ik kan heel, heel lang op mijn waardigheid teren,' hield ze hem voor.

Hij was bezig heimelijk een hapje achteraf voor haar klaar te maken, toen Babe voorbijkwam. Ze aarzelde en toonde toen haar paarlen glimlach. 'Zou je vandaag Tom weer kunnen helpen? Zaterdag is het zwaarst, weet je, iedereen komt langs op weg naar huis om in te slaan voor de zondagse ijsthee en de rode gelatinepudding en de pêche melba.'

'Ik geloof niet dat mijn hulp veel om het lijf had,' zei hij en hij liep langs haar met een boterham voor ma.

Toen hij in de gang de hoek omging, zag hij Idalee als een hagedis naar boven schuifelen. Hij liet de boterham voor ma vallen en pakte haar beet. Ze viel over hem heen en ze kwamen als rollend gesteente boven op elkaar op de overloop neer.

'Wat voer je in je schild?' vroeg hij gebiedend om haar knie heen.

'Niets.' Ze ging rechtop zitten en keek zo onschuldig als een pasgeboren kind. 'Ik denk dat ik verdwaald was.'

'En ik denk dat je je neus in andermans zaken wou steken.' Hij duwde haar naar de deur. 'Je blijft buiten de deur, tenzij je klopt en de mensen je binnenlaten. Begrepen?' Hij vroeg zich af waarom ze had staan huilen toen hij haar door het raam van Jo's kamer zag. Ze was waarschijnlijk uitgefoeterd. Zoals hij haar nu uitfoeterde. Hij liet zijn stem wat zachter klinken. 'Wie zocht je?'

'Jou,' zei ze. 'Kom je spelen?'

Hij richtte zich op. 'Nee. Ik heb het te druk. En jij bent te klein. Duvel op.'

Ze blies de aftocht en beet beledigd op haar onderlip. 'Waarom ligt die boterham op de grond?' Ze maakte een sprong en landde op haar weg naar buiten erbovenop.

Terwijl hij het kleed schoonmaakte, kwam Rose Ann met een bloemetjeshoed en witte handschoenen de trap af. Ze droeg een koffer. Het leek op die film waarin het meisje van de cowboy haar spullen pakt en hem verlaat. Hardy kwam achter haar aan met zijn hemd uit zijn broek en zei: 'Wat heeft mijn tijdsindeling ermee te maken?'

'Gewoon dat je het grootste deel van de nacht werkt en het grootste deel van de dag slaapt,' zei ze. 'Ik kan eigenlijk net zo goed naar haar toe gaan.'

'Vroeger brachten we de nacht en de halve dag in bed door en toen klaagde je nooit dat je vakantie nodig had.'

Ze legde haar witte hand op de donkere elleboog van de trapleuning, een laatste aanraking ten afscheid. 'Dat was het enige waar we goed in waren, niet waar? Dat was het enige waar we samen goed in waren.' Ze keek naar hem op alsof ze hem nog nooit vanuit dat gezichtspunt had gezien.

'Het minste dat je kunt doen is zeggen hoe lang je daar blijft.'

'Ik weet niet hoe lang.'

'Nu, hoe lang? Hoeveel dagen?'

'Hardy, ik ga doodgewoon naar mijn zuster. Praten als vrouwen onder elkaar. Bijkomen. Gun me de tijd die ik nodig heb.'

'Oké.' Hij wuifde haar met een weids gebaar uit. 'Natuurlijk. Salty, als je eens de koffer van mevrouw naar het station bracht?'

'Ik draag liever mijn koffer zelf,' zei ze.

'Oké.' Hij vertrok zijn gezicht tot een brede grijns. 'Maak dan maar dat je wegkomt. Veel plezier. Geef grote zus een pakkerd van me.'

'Ik ga niet voor mijn plezier,' zei ze flauwtjes.

'Doe daar dan maar eens verdomd hard je best voor, meisje. Iemand moet er toch plezier van hebben.'

'Hardy, ik hoef helemaal niet te gaan. Als jij kon... als wij konden...' Ze haalde een klein kanten vierkantje uit haar zak en drukte het tegen haar mond. Dom genoeg bereidde Salty zich erop voor er trompetgeschal uit te horen komen, zoals uit Hardy's truc-zakdoek, zodat ze allemaal in lachen konden uitbarsten.

'Als ik mijn leven kon inrichten volgens jouw wensen?' zei Hardy. 'Geld verdienen? Volwassen worden? Een bezadigd mens worden?'

'Als je alleen maar kon zeggen "Blijf."'

Salty stond op, gealarmeerd door haar langzaam uitgesproken woorden. Zeg het, smeekte hij in stilte. Je wilt het zeggen.

'Als je alleen maar kon zeggen dat ik een onafscheidelijk deel van je leven ben, Hardy. Niet iets waar je van weg kunt lopen, zoals van je baantjes en je huurkamers, wanneer je er genoeg van hebt.'

De lach op Hardy's gezicht flakkerde als een kaars die haar adem had aangeraakt. 'Weglopen?' Zijn gezicht verstrakte. 'Jij hebt ervoor gezorgd dat ik dat niet kan, Rosie. God, je kon toch weten dat ik je liefheb?'

Ze ging de onderste trede af en stond nu zo dichtbij dat Salty het licht van de voordeur in haar ogen kon zien spelen.

'Denk je dat ik niet weet hoe je je voelt?' zei Hardy. 'Natuurlijk, het is hard voor een rijk meisje om met een schooier een krap bestaan te leiden. Natuurlijk, ik ben alles waarvoor je familie je heeft gewaarschuwd. Maar, Rosie, alle huwelijken hebben kinderziekten. De onze kunnen genezen. Als je me nog maar een beetje tijd gaf.'

Ze was zo dichtbij dat Salty haar kon ruiken. Ze rook naar babypoeder. Ze zouden hetzelfde ruiken, zij en de baby die ze, opgerold als een boon in haar lichaam, met zich meenam.

'De tijd zou nooit lang genoeg zijn, Hardy.'

Ze keken elkaar onderzoekend aan. Geef haar een zoen, dacht Salty. Als de trein nu eens verongelukt? Geef haar een zoen.

Rose Ann liep langs Salty zonder hem te zien. Toen ze de rand van de veranda bereikte, nam de zon bezit van haar als van een dun stukje papier dat in het vuur geworpen wordt. Hij keek hoe ze aan alle kanten vlam vatte en aan het eind van de straat ploste in een grijs waas.

14

Toen Babe en Tom van de kerk thuiskwamen, hadden Salty en Hardy en ma het zondagseten klaar: broodjes met warme worstjes, bonen met pikante saus en caramelpudding. Babe kon bijna niet uit haar woorden komen van louter dankbaarheid. Ma verdween naar haar kamer met een muizehapje in haar zak.

Babe zette een hoed af die beladen was met kersen. 'Help me onthouden dat ik Jo vertel over de gebedsketen die mijn bijbelklas voor haar is begonnen.'

Tom had een dikke, grootsteedse zondagskrant onder zijn arm. Hij zag er anders uit in zijn zwarte pak, met zijn adamsappel boven een boord die te wijd was voor zijn hals. Hij haalde het bijvoegsel met de stripverhalen eruit en gaf het aan Salty. Salty nam het met een stug gebaar aan en liet zijn mond iets mompelen dat voor een bedankje kon doorgaan. Hij trok zich terug en trachtte zich voor te stellen wat een gebedsketen was, waarvan iedere gedachte een schakel vormde tussen Jo en God. Hij vroeg zich af of iemand behalve ma ooit voor hem had gebeden.

Terwijl Babe en Tom en Hardy in de eetkamer hun maaltijd beëindigden, bracht hij stilletjes een blad naar ma. Ze zat kalm te schommelen en had haar mond vol met iets dat harder was dan snuiftabak.

'Waar hebt u die noten vandaan?' riep hij uit. 'Ik dacht dat u in hongerstaking was.'

'Ik eet alleen maar niet háár eten, daar binnen,' zei ma. 'Ik heb mijn eigen eten dat ik heb opgeraapt in de tuin.' Ze stopte een noot onder de schommellat van haar stoel en kraakte hem met één ruk.

'Maar ma – moet u die vloer eens zien – overal doppen en vetvlekken.'

'Olie is goed voor de vloer,' zei ma, die een handvol doppen nam en er stukjes noot uit peuterde. 'Vroeger veegden we de vloer met geolied zaagsel.' Ze lachte. 'Je overgrootvader was dol op noten.' Salty sloot zijn ogen. Hij wist wat er ging komen. Het verhaal van de goede opzichter die Alford en de werkploeg noten liet zoeken langs de rivier.

Toen hij het blad voor Jo naar boven bracht, was ze de baby aan het voeden. Omdat ze zo gewoon deed, leek het niet nodig er verlegen mee te zijn; daarom grinnikte hij met haar mee en hij zei: 'Nu kunnen jullie alle twee eten.'

'Bonen met pikante saus?' zei ze snuivend. 'Dat is niet wat mevrouw Buckley zich voorstelt van een overvloedig zondagsmaal.'

'We hebben haar verrast,' zei hij. 'Hardy moest iets doen om de tijd te doden.'

Ze liet hem de baby vasthouden terwijl ze at. Hij liep op en neer, kijkend naar zijn voeten als iemand die leert dansen, terwijl de baby over zijn schouder hing om een boertje te laten. Door het raam zag hij dat alle Eversoles nog opeengepakt in hun auto de stripverhalen zaten te lezen.

Jo zei: 'Heb je nog nagedacht over wat we gistermorgen hebben besproken?'

Hij schudde zijn hoofd. Hij kon nergens over nadenken of iets voelen. Het was vreemd, maar zijn gevoelens waren bevroren. Het enige waaraan hij kon denken–nee, het enige waaraan hij niet *wílde* denken–was de man die hem niet als zoon wenste.

'Meneer Buckley vroeg me opnieuw wat ik ging doen,' zei ze. 'Ik heb gezegd dat ik hem een antwoord zou geven. Morgen. In ieder geval de dag daarop. Misschien kan ik dan reizen.'

'Reizen? Waarheen?'

Ze haalde haar schouders op. 'Ik kan hier niet altijd blijven klaplopen.'

'Waarom ben je weggelopen als je daarna weer naar hem teruggaat?' vroeg hij stug.

'Dat heb ik niet gezegd.'

'Je probeert het mij te laten zeggen. Mij te laten zeggen vergeef het hem. Wees weer als vroeger.' Zijn stem nam een luide, beschuldigende toon aan, alsof ze moest kiezen tussen hem en Kell Miller. Hij klemde zijn kaken op elkaar. In de stilte maakte de baby de gorgelende en blazende en niezende geluidjes van het leven.

'Het kan nooit meer zijn als vroeger. Ik kan niet meer zijn als vroeger.' Jo drukte haar vuisten in haar slappe buik. 'Kell ook niet. Niet als hij ongerust op zoek naar me is. Ook niet als hij, alleen maar onverschillig en boos, weer aan het werk is gegaan. Het is vresselijk, weet je, Salty. Om zo aan iemand gehecht te zijn en dan tegen hem in opstand te komen. Het is beslist het ergste dat mensen kan overkomen.'

Salty schoof de baby in de mand en vergat daarbij zijn hoofd te steunen. Het wiebelde op en neer, waardoor de blik van de baby zonder iets te onderscheiden van het ene voorwerp naar het andere gleed.

'Blijf bij ons,' zei hij. Ze moest blijven. Hij had haar nodig. Wie anders behalve ma had hem ooit gezegd dat hij een goed hart had?

Hij bracht het blad terug naar de keuken en hielp ma naar buiten in de schommelstoel van de voorveranda. Ze verdeelden zorgvuldig de krant en verdiepten zich in de zorgeloze, in een kader gezette levens van de Katzenjammer Kids en Skeezix en Jiggs en Maggie en Mutt en Jeff, te zonderling om zelfs maar de gedachte aan lachen op te roepen.

Tom was in zijn daagse kleren de bloemen aan het sproeien. Salty zag dat Babe aan het bureau in de salon in het kasboek zat te staren. Hardy slenterde naar buiten, moederziel alleen, en pakte op zijn beurt de stripverhalen.

Aan de overkant kwamen de Eversoles paraderen in mantels die ze van theedoeken hadden gemaakt. Idalee had zich uitgedost als sir Walter Raleigh, de gunsteling van koningin Elizabeth I, door de zoom van haar rok in het elastiek van haar onderbroek te stoppen. Om orde af te dwingen sleepte ze de poot van een oud koperen ledikant met zich mee, waar het zwenkwieltje nog aan zat.

'Jij daar, ga op je knieën voor de koningin, ellendeling,' zei ze.

'Hoveling,' zei Hardy. 'U haalt een paar films door elkaar, met permissie van uw lordship.'

Ze wees met haar scepter naar hem. 'Komt Salty spelen?'
'Daar ben ik niet zo zeker van.' Hardy keek grinnikend op Salty neer die weggedoken zat achter de stripverhalen. 'Je houdt toch nog wel van spelen?'
'Niet dat soort onzin. Dat is voor kleine kinderen.'
'Wat!' Hardy trok hem met een ruk overeind en ging hem voor naar de gang. 'Is Barrymore, de filmacteur, voor kleine kinderen? Of Valentino? Is tienduizend dollar per week voor kleine kinderen?' Hij loodste Salty naar het souterrain en maakte een koffer open.
Salty stond paf. De koffer zat vol kostuums en pruiken en allerlei dingen om toneel mee te spelen. Het was of een hele film op een hoop was gegooid.
'Is dit van jou?' vroeg hij ademloos.
'Mijn ouwelui waren alle twee bij het onderwijs – ze waren dol op toneeluitvoeringen. Wat de school niet kon verschaffen kochten of maakten ze zelf.' Hij haalde een lange lap pluche te voorschijn met een split in het midden. 'Toen ze uit elkaar gingen en het huis opruimden, heb ik de koffer meegenomen. Dat wilde ik als herinnering aan ze bewaren. Het komediespelen.' Toen hij de lap over Salty's hoofd liet glijden, viel hij in rijke plooien tot op zijn knieën neer.
'Hé,' zei Salty gegeneerd. 'Het is een jurk.'
'Welnee, sire! Een koninklijke tabbaard.' Hardy gooide er een cape met een vuurrode voering overheen, het mooiste dat Salty ooit had gezien. Toen hij zich omdraaide, gleed de stof als rood ijs van zijn schouders.
Hardy rommelde in een doos met spullen van Babe. Hij zette een borduurring op Salty's hoofd.
'Een eenvoudige hoofdband voor dagelijks gebruik, sire. We willen niet een pronkerige indruk maken.' Uit een doosje in de bak van zijn koffer haalde hij een korte stift, als een krijtje, waarmee hij Salty's gezicht bewerkte. Plotseling nam hij een duik en haalde hij een echt zwaard te voorschijn. Hij trok de sissende kling uit de schede en duwde hem er weer in. 'Niet eruit halen,' waarschuwde hij. 'Als je een Eversole doorboort, worden we alle twee geradbraakt.'
Salty, die nog steeds met stomheid was geslagen, werd

weer naar boven gemanoeùvreerd, regelrecht naar de kamer van Babe en Tom, waar een kast met een lange spiegel stond. Hij herkende zichzelf niet. Hij had een snor en borstelige wenkbrauwen en rimpels en bakkebaarden. Hij sloeg zijn cape open en legde zijn hand op het gevest van zijn zwaard. Hij zag eruit als een koning.

Hij keek in de spiegel naar Hardy's lachend gezicht en wist niet wat hij het meest moest bewonderen – de betoverende nieuwe persoon die hij was geworden of Hardy's toverkunst.

Toen Hardy hem op de veranda vertoonde, keek ma verbaasd op. 'Salty?' vroeg ze, waarna ze in haar stoel achterover viel en in haar handen klapte. In de salòn mompelde Babe: 'Bewaarme.' Achter zijn koninklijk gelaat straalde Salty van trots.

De mond van Idalee viel open. 'Jeetje, dat is beregoed. Oei. Dat is de klap op de vuurpijl.' Zonder een moment te aarzelen gaf ze hem de scepter.

Hij wist niet precies wat hij moest doen, maar de Eversoles pakten de punten van zijn cape en trokken hem met zich mee naar de straat.

'Je moet spelen dat we allemaal ridders wilden zijn,' zei Idalee. 'Jij moet ons tot ridder slaan.' Hij keek onzeker, op koninklijke wijze. 'Op de schouder,' legde ze uit. 'Tikken.'

Hij sloeg iedereen tot ridder met de poot van het ledikant, waarbij hij veel wervelende bewegingen maakte om zijn cape te laten uitwaaieren. Hij wou dat hij de moed had om Idalee met een tik op haar neus tot ridder te slaan.

'Trek je dit aan voor de optocht?' vroeg ze.

'Wat voor optocht?' Hij vroeg zich af of haar ouders, als ze naar buiten keken, door de hele koninklijke uitmonstering heen zouden kijken en zouden herkennen met wie ze speelde.

'Op Onafhankelijkheidsdag, de vierde juli. Je kon best eens winnen. Iedereen gaat gekostumeerd en de mooisten krijgen een prijs. Echt geld. Dit is niet mijn kostuum. Ik ga als een filmster, als Clara Bow, met geverfde lippen en zijden kousen.'

De tweede Eversole zei: 'Dat zal pappa nooit goed vinden.'

'Hij komt het niet te weten. Bovenop ga ik als spook. Maar eronder ga ik als Clara Bow.'

'Kan iedereen gewoon meedoen?' vroeg Salty. Hij kon best winnen met een kostuum als dit.

'Tenzij je boven de zestien bent. En dat ben je niet.'

'Bijna,' zei hij achteloos.

'Lariekoek. Ik heb je toch op school gezien. Je zit maar één klas hoger dan ik en ik ben bijna tien.'

'Ik weet niet of je me gezien hebt of niet. Hoe dan ook, ik ga waarschijnlijk niet meer naar school. Ik heb het te druk. Ik moet helpen met de werkzaamheden hier in huis.' Hij draaide zich zo snel om dat zijn zwaard uitzwaaide en haar een klap tegen de schenen gaf.

'Hé, laat dat!' Ze gaf hem een opdoffer waardoor zijn borduurring-kroon over de straat rolde.

Hij pakte haar bij de haren en keerde haar gezicht naar de kroon die de goot in waggelde. 'Ga hem halen,' beval hij. Hij proefde bloed aan de binnenkant van zijn lip. 'Bevel van de koning. Ga hem oprapen.'

'Loop naar de pomp,' antwoordde ze; met haar opgetrokken hoofdhuid zag ze eruit als een Chinees. Ze giechelde. 'Je snor heeft een vieze veeg op je neus gemaakt toen ik je een klap gaf.'

Hij duwde haar over de straat naar de kroon toe, en wist in zijn hart dat hij bezig was de hele boel te verpesten.

Een hand pakte hem bij zijn oor en rukte hem uit zijn evenwicht. Hij draaide zich kronkelend om en bevond zich bijna neus aan neus met meneer Eversole.

'Laat mijn dochter los,' zei meneer Eversole met een dreigende blik die een boom kon verschrompelen.

Salty liet haar los. 'Ja, meneer,' zei hij haperend. Hij voelde zijn borstelige wenkbrauwen smelten onder het uitbrekende zweet. Hij trachtte helemaal weg te smelten uit de klemmende handen. Idalee gluurde van achter de hamvormige arm van haar vader. Ze trok een gezicht dat er beter uitzag dan haar eigenlijke gezicht.

Uit zijn ooghoek zag hij dat Tom de struiken langs het trottoir sproeide in plaats van de bloemen bij de veranda waar hij een minuut geleden was. Tom riep: 'Hoe gaat het met je, Roscoe? Hoe is het met je rug?'

Meneer Eversole liet Salty los en draaide zich, log als een gebombardeerde tank, om. 'Is die van jou?' bulderde hij, wijzend op de zielige koning. 'Houd hem uit de buurt van mijn kinderen!' Hij liep met zware tred terug en dreef zijn kroost van de straat naar hun eigen tuin.

Salty raapte zijn kroon op, lamgeslagen van vernedering. Toen hij met een boog om Tom heen naar de veilige schemering van de Buckley Arms liep, stak Tom zijn hand uit. Salty's hart begon in verwarring te bonzen. Tom had alles gezien en hem bevrijd en lachte tegen hem. Hij zag vriendelijkheid in Toms gezicht, de verstandhouding van een bondgenoot. Twee dagen geleden zou hij spontaan hebben teruggelachen. Nu wendde hij zijn hoofd af en liep hij hem haastig voorbij.

Babe hing uit een raam. 'Salty, waar heb je in hemelsnaam gisteravond de was gelaten toen je die van de lijn hebt gehaald?'

Alle Eversoles bleven op straat stilstaan en keken om. Salty vroeg zich af of hij kon doen alsof hij niets had gehoord.

'Salty,' riep ze harder, 'waar heb je...'

'In de zak,' antwoordde hij zo zacht mogelijk.

'Waar?'

Hij hoorde ze giechelen. Hij tilde zijn hoofd op. 'Ik heb al het goed ingevocht en opgerold in de zak om het morgen te strijken.'

Gesmoorde lachjes schoten als vonken omhoog. 'Ha, ha!' bulderde meneer Eversole en hij pakte de twee jongsten als meelzakken onder zijn armen. Ze gingen allemaal lachend naar binnen. Alleen Idalee aarzelde heel even in de deuropening en keek om.

Tom keek onderzoekend in Salty's gloeiend gezicht. 'Ze heeft je dus aan het strijken gezet?'

'Zus of zo. Makkelijk spul. Slopen, van dat spul.'

'Leren ze je geen taal op school?' vroeg Tom vermoeid. 'Zus of zo. Spul. Lees je nooit?'

Salty keek naar het water dat langs zijn voeten over het trottoir stroomde. Hij had het gevoel alsof de ramen van alle huizen als ogen naar hem keken.

'En kan het je niet schelen of die gans van je water heeft of niet? Zijn bak was kurkdroog toen ik hem vulde.'

Salty bewoog krampachtig zijn mond toen hij zijn vernederde trots inslikte. In weerwil van zichzelf, alsof hij zijn duim van een tuinslang had afgenomen, liet hij zich gaan. 'Ik weet wie je bent,' zei hij zacht.

Tom keek vluchtig naar de veranda. Zijn tanden vormden de witte, neutrale lach waarmee men gewoonlijk op een gewone opmerking reageert. 'Dat weet je pas wanneer ik het je zeg,' zei hij.

Alle vragen borrelden Salty naar de keel. Hij voelde hoe de borduurring in zijn handen van vorm veranderde. 'Betekende ik dan niets voor je?' begon hij, maar terwijl hij dat zei, bukte Tom kuchend en sleepte hij de tuinslang weg.

Hardy vond hem bij Tolly. Hij leunde geduldig over de omheining. Salty stond op en volgde hem naar binnen, denkend dat Babe hem had laten halen om af te wassen. De keuken was schoon. Hardy nam hem mee naar het souterrain en opende de koffer van zijn ouders. 'Het wordt tijd om te beslissen wat je donderdag in de optocht gaat dragen.' Hij hield opgewekt van alles en nog wat omhoog. 'Wil je nog steeds de keizer zijn van Zover-het Oog-Reikt?'

Salty keek langs hem naar de deur van zijn kamer, waar het grootste wonder van de wereld was geschied. 'Ik wil niks zijn.'

'Kom, vooruit,' drong Hardy aan. Hij hield een kroezende oranje pruik omhoog. Toen een grote, zwarte baard, bevestigd aan ijzerdraden die om de oren haakten. 'Als ik nu eens met je meeging? In hetzelfde kostuum. Met gekke hoeden.'

'Ik heb het Tom verteld.'

'O jé,' zei Hardy.

Salty streelde de oranje pruik. 'Hij liep weg. Alsof ik niets had gezegd.'

'Dat heb ik gezien,' zei Hardy. 'Wat had je verwacht? Vlak voor het front van Jan en alleman?' Hij zette een driekantige steek op Salty's hoofd. 'Eén ding moeten we goed begrijpen,' zei hij, terwijl hij iedere hoek naar voren draaide om te kijken hoe het stond. 'Als je hier wilt blijven, kun je dit niet nog eens doen.'

'Ik wil hier niet blijven.'

'Waar wil je dan liever heen?'

Hij was verslagen, hij wist het niet.

'Terug naar de rivier?' vroeg Hardy. 'Met Jo mee naar Kansas City? Op bezoek bij Rosie's chique zuster?'

Salty schudde zijn hoofd, want hij wist waar hij wilde blijven, ongeacht wat zijn mond zei.

'Ik heb een idee!' zei Hardy vlug. 'Laten we Nieuwe Mamaatje wat gaan opvrolijken. Laten we iets gaan opvoeren. Jij en ik. Sketches. Liedjes. Yeager en McCaslin, de Koningen der Komieken.'

Kostuums die Hardy opdelfde kwamen om Salty's oren vliegen. Hij ving ze op, bedenkend hoe eenzaam Hardy was zonder Rose Ann. Hij zuchtte berustend en ging helpen. 'Ik weet niet hoe je iets moet opvoeren.'

'Geen probleem – je bent in de handen van een meester,' zei Hardy dankbaar. 'Vooruit, laten we beginnen voor ik naar mijn werk moet, nu meteen terwijl iedereen in de Buckley Arms zijn zondagsdutje doet.'

Ze wilden net de salon binnensluipen om een paar grammofoonplaten uit te zoeken, toen Babe ze betrapte. 'Bewaarme,' fluisterde ze en haar kinnen zakten omlaag. Hardy en drie kussens waren gepropt in een lange jurk die het model had van een kropduif. Salty had een afzakkende maillot aan en de zwarte baard.

'Ha, een operaliefhebster,' fluisterde Hardy op zijn beurt. Ze liepen gedrieën op hun tenen naar de grammofoon en kozen een plaat uit. Hij stelde het geluid zo zacht mogelijk af. Als een spiraal van zilverdraad steeg de stem van een sopraan boven het orkest uit. Hardy sloeg zijn goede en zijn slechte hand over zijn opgevulde boezem en verhief zich ook;

hij rekte zich uit en speelde met overdreven gebaren alsof de stem uit hem kwam.

Babe was slap van het ingehouden lachen. Salty onderdrukte luide kreten van bewondering. Toen een tenor zich in een duet bij de dame voegde, deed hij onbeholpen Hardy na; hij sloeg zijn armen uit bij de luide gedeelten en hij wrong zijn handen in wanhoop wanneer de muziek treurig werd.

'Denk je dat zo'n nummer onze Jo uit haar muizenissen kan halen?' vroeg Hardy aan Babe, nadat ze quasi de laatste triomfantelijke tonen hadden uitgebruld.

Ze veegde haar ogen af en knikte, buiten adem van het lachen. 'O, eigenlijk moest ik ernstig zijn, omdat zij boven zo in de knoop zit over haar leven, maar jullie twee halvegaren...' Het was of haar stem langzaam wegstierf, net als het treurige deel van het lied.

'Wil je ook meedoen?' vroeg Hardy. 'We hebben je nodig.'

'Ik?' Babe kreeg een kleur. 'O, nee. Ik zal voor jullie de platen verwisselen. Maar ik heb al zo lang geen voordrachten gedaan.'

'Wat je zegt,' zei Hardy met een knipoog naar Salty.

'Nou ja, vróéger zei ik vaak verzen op,' verweerde Babe zich. 'Vroeger heb ik "Vanavond mag de klok niet luiden" voorgedragen en "Verkoop mijn vader toch geen rum".'

'Ik weet het weer,' zei Hardy. 'Je deed "Mijn mond zal nooit een kus verdragen van een mond die smaakt naar drank".'

'O, bewaarme, ja. En "Het armenhuis over de heuvel".'

'Doe er een paar voor de voorstelling.'

Ze keek naar haar gespreide vingers, alsof ze voor het eerst zag hoe die in de loop der jaren waren veranderd zonder dat ze het had gemerkt. 'We deden vroeger gekke dingen. Tom kon banjo spelen. En dansen, tapdansen op zachte zolen zoals de jongens van het variététheater. Niet waar zijn familie bij was – die waren te strikt. Maar o, hij kon er wat van. Hoe is het toch zo ver met ons gekomen?'

Achter zijn zwarte baard legde Salty zijn tong tegen de snee aan de binnenkant van zijn lip en hij wachtte tot Hardy haar vraag zou beantwoorden, maar Hardy stond te staren naar een grammofoonplaat. Hij legde hem op en in de verte begon een orkest 'Mijn eiland van gouden dromen' te spelen.

Babe schudde haar herinneringen van zich af. 'Onder de trap staat een doos met oude kleren en spullen die jullie kunnen gebruiken als je wilt.'

Salty volgde haar naar de bergkast. Ze maakte een doos open. De lucht van motteballen sloeg hun tegemoet. Bovenop lag iets zwaars opgevouwen, gemaakt van kakikleurige wol. Een knoop glom. Salty's hart begon te kloppen als een tak tegen het raam. 'Bedoel je dat ik dat mag dragen?'

'De uniform van Tom?' Ze lachte verbaasd. 'Je zou erin verdrinken.'

'Dat weet ik wel,' zei hij zacht. 'Maar mag ik?'

Hij voelde een rilling door zich heen gaan toen ze aarzelde.

'Och, wat je maar wilt,' zei ze ten slotte. 'Het is toch nergens anders goed voor.'

15

Maandag was wasdag. Hardy was om zes uur thuisgekomen van de bakkerij en lag te slapen, maar Babe en Salty duwden hem zolang tegen de muur, zodat ze de oude lakens van het bed konden trekken en er schone op leggen. Terwijl de was droogwapperde in de zon, plukten ze bonen voor de inmaak en ze installeerden ma op de achterveranda om ze af te halen.

'Je voelt je nog steeds niet lekker, hè?' vroeg Babe toen haar gebabbel strandde op Salty's stilzwijgen. 'Ik hoop van harte dat het geen tyfus is. Misschien is een flinke dosis Epsom zout...'

Hij had zitten denken wat voor grote ogen ze zou opzetten als hij het haar vertelde.

'Ik voel me best,' zei hij. Hij trok een vrolijk gezicht en trachtte er weer helemaal opgeknapt uit te zien.

Hardy was die middag uit zijn humeur. Ze schilderden de voorveranda, ieder verdiept in zijn eigen gedachten, met gezichten die glommen onder het zweet en de verfsproeten.

Net toen ze op het punt stonden om ermee op te houden en hun voorstelling te gaan repeteren, stuurde Babe Salty naar de ijsloods om tegen Tom te zeggen dat hij een extra blok van vijfentwintig pond moest meebrengen. Haar guitige lachje bracht hem op de gedachte dat ze haar voorraad had opgebruikt bij het bereiden van roomijs.

Tom knikte alleen maar toen hij de boodschap overbracht. Terwijl Tom de vrachtwagen van de laatste klant vollaadde, stond Salty te wachten en hij zorgde ervoor dat hij zijn rug naar het smalle raam van de machinekamer gekeerd hield. Tom sloot af en sloeg de vliegen uit zijn haar. Ze namen het ijs op de achterbumper van de auto mee naar huis.

Er scheen licht achter de dichtgetrokken gordijnen van Jo's kamer. Toen ze met het ijs in de keuken kwamen, riep Babe: 'Er is een verrassing!' en nam ze mee naar boven.

Jo zat rechtop in bed, gehuld in een driedubbel omgeslagen bedjasje van Babe. Naast haar zat ma, die schommelde met de snelheid van een kilometer per minuut en de baby in haar armen hield. Hardy stond achter hen de grammofoon op te winden, die hij uit de salon naar boven had gebracht. Hij zette een plaat op en een iel, blij stemmetje begon te zingen: 'Wanneer mijn baby tegen me lacht...'

'Het is een doopfeest,' juichte Babe, stralend als een volle maan. Een moskovische tulband gleed bijna van het nachtkastje. Er fonkelde iets roods in een karaf en het roomijs werd zacht in de ijsemmer, die bedekt was met handdoeken.

'We kunnen hem niet altijd drijfpoeperd blijven noemen,' zei Jo.

Tom vroeg: 'Wat doen we? Dragen we allemaal een naam bij, zodat hij James George Philip Henry Alexander wordt, zoals een koning?'

Babe viel hem in de rede en zei: 'Salty, er is een boek in het souterrain. Op de onderste plank, rood, net een woordenboek, met bladzijden en bladzijden vol namen. Doe het licht aan zodat je kunt zien.'

Hij sprintte erheen, bang om iets te missen. Hij ging op zijn knieën zitten en trok aan verschoten ruggen die eens rood geweest konden zijn. Er viel een doos van de plank en een heel stel kaarten van grijs karton kwam op zijn knieën terecht. Het waren gekke dingen. Op elke kaart stonden twee precies dezelfde foto's naast elkaar. Hij had wel eens van stereoscopen gehoord – dit moesten er plaatjes voor zijn en ze waren ook zonder de derde dimensie al griezelig genoeg.

Ze gingen over de oorlog. Op een ervan richtten zich boven de randen van gapende granaattrechters twee tanks op, als monsters die uit de aarde kropen. Op een andere lagen verminkte lijken, met helmen als soepkommen, in groten getale in de modder. Er liep een rilling over zijn rug. Er waren verzengde bomen en gekantelde vrachtwagens en dode paarden, als omgevallen standbeelden, met stijve gezwollen benen. Hij rukte zich ervan los en stopte de kaarten weer in de doos.

Een pakje foto's was tussen zijn knieën gegleden. De

bovenste was van een soldaat in een hooggesloten uniform, zo nauw dat zijn stevige nek over de hoge kraag puilde. Hij keek verbaasd in de verte, als in een spiegel. Salty legde het pakje terug zonder naar de andere te kijken. Hij stond bevend op. Hij had zojuist Tom gezien toen hij nog gezond en dapper was, voordat hij de oorlog had meegemaakt.

Hij ging bijna zonder het boek weg, maar hij dacht er nog net op tijd aan. Hij vond het en haastte zich terug naar het feest. Babe was de tulband aan het snijden. Een andere stem zong over een onbetaalbare baby, gevonden in een kwartjesbazaar. Jo knipoogde tegen hem. 'Of bij de koopjes in het souterrain,' zei ze toen hij haar het boek gaf.

'Verdorie, waar blijft het vuurwerk!' zei Hardy met toneelgebaren. 'Champagne. Eenentwintig kanonschoten voor Percival Cuthbert Mortmorency Miller.'

'Krijgen we zo niet meer namen dan we baby hebben?' lachte Jo. Ze bladerde door het boek. 'Wat vinden jullie van gewoon David? Of John?'

'Als je eens de naam van je vader nam?' vroeg Babe.

Salty keek behoedzaam naar Tom. Hij had dezelfde diepliggende ogen als op de foto in het souterrain. Dezelfde kin. Een andere mond. Die even zorgvuldig zweeg als de mond van zijn mamma.

'Hé, moet je horen, het verklaart wat elke naam betekent,' zei Jo. 'Luther. Beroemd strijder. Morgan: iemand die op zee vertoeft. Joshua betekent Jehova brengt verlossing.'

'Ik dacht dat de ooievaar de verlossing bracht,' zei Hardy.

Salty onderdrukte een verlegen lachje. 'Wat betekent mijn naam?'

'Salty?' zei Jo weifelend. Haar vinger hield ze nog onder het laatste woord dat ze had gelezen.

'Is Salty een naam?' vroeg Babe.

'Het betekent verlangd,' zei Tom.

Ze keken hem allemaal verbaasd aan. Babe stak haar duim in een plak tulband. *'Salty?'*

'Saul,' zei Tom. 'Saul betekent verlangd.'

Salty voelde zijn hongerige maag samentrekken. Hij drukte er zijn vuist tegenaan. 'Hoe weet je dat ik Saul heet?'

Zijn stem klonk verweg, te hoog, als de mechanische stem die op de grammofoon almaar ronddraaide.

Tom keek ma aan. Ze keek terug terwijl ze langzaam schommelde. 'Ik heb het gevraagd,' zei Tom, haar blik met de zijne vasthoudend. 'Ik heb je overgrootmoeder gevraagd waar Salty vandaan kwam.'

'Zou het niet geweldig zijn,' zei Jo die de naam in het boek opzocht, 'als dat van ieder kind de tweede naam was?' Ze trok een quasi treurig gezicht. 'Ik heette Ethel Joyce Shamburger. Dus heb ik er zo veel mogelijk afgehakt en ben ik jong getrouwd.'

Tom zat op de vensterbank omdat er niets anders was en balanceerde tulband op zijn knieën om het ijs te kunnen aannemen dat Babe opschepte. 'Je had Joy kunnen heten,' zei hij.

'Hé,' zei ze zacht. 'Dat is nooit bij me opgekomen.'

Hardy zette de grammofoon weer aan. Een volle, treurige stem hief aan: 'Klim op mijn knie, Sonny Boy...'

'Die niet,' zei Tom.

Hardy nam de plaat eraf en zette een andere op. 'En nu, dames en heren, zal het Yerkes' Jazarimba Orkest voor u spelen...'

'O, ja, speel "Het is nog nooit zo leuk geweest",' riep Babe uit. 'Dit is een féést.'

De baby begon te huilen.

'Drijfnat,' zei ma.

Babe gaf hem aan Jo. Ze deed de baby op haar schoot een schone luier aan en vroeg: 'Wordt het niet te vermoeiend om hem vast te houden, ma?'

'Nee,' zei ma en ze strekte haar armen uit.

Hardy haalde een papieren zak onder de grammofoon vandaan. Hij bracht hem naar Jo. 'Hier is een kleinigheidje voor jouw kleinigheidje.' Hij trok een grote teddybeer aan zijn poot omhoog.

'O, Hardy. Wat aardig van je! Hartelijk bedankt.' Ze drukte lachend een kus op de brede pluchen neus van de beer. 'Maar we konden eigenlijk beter de baby aan de beer geven.'

Salty haalde zijn tweelingbroer uit de zak. 'Is deze voor de boon?'

'O, nou ja,' zei Hardy gegeneerd. 'Ze waren toevallig in de uitverkoop – natuurlijk, voor de boon.' Hij drukte de beer met één hand tegen zijn borst en kneedde hem met zijn grote nerveuze vingers.

Babe legde 'Dardanella' op de grammofoon en draaide met Hardy en de beer net zo lang in de rondte tot zijn verlangen naar Rose Ann zich forceerde tot een lach. Tom zei zuur: 'Feeney heeft je hiervoor zeker een week voorschot gegeven.'

'Ja, hij was zo goedig.' Hardy haalde een pakje bankbiljetten uit zijn zak. 'Maar niet alleen voor teddy's. De rest is voor Tommy. Beloning voor kost en inwoning. En wordt de volgende week geprolongeerd.'

Tom telde de bankbiljetten en vouwde ze op in een dunne bruine portefeuille. 'Je gaat er met het vaderschap aanzienlijk op vooruit. Als dit zo blijft, kunnen we misschien net rondkomen.'

Salty beet aandachtig in zijn derde stuk tulband.

'Ik heb het gevonden,' zei Jo ineens, gebogen over het boek. 'Dit vind ik mooi. Het is precies wat ik zoek.' Ze boog zich naar ma en legde de rug van haar hand op de slaap van de baby. 'Micah. Micah Miller.'

'Betekent het iets?' vroeg Salty.

'Het betekent: "Wie is gelijk God?"'

De muziek stopte. In de stilte maakte de buik van de baby borrelende geluidjes en hij glimlachte verrukt van een krampje.

'Ik geef het op,' zei Hardy. 'Wie is het?'

Jo sloeg het boek boven haar hand dicht en probeerde tot een uitspraak te komen. 'Ieder nieuw kind?' Ze lachte. 'Dat wil dus zeggen wij allemaal, niet waar?'

'Iedereen?' vroeg Babe weifelend.

Hardy lachte en nam zijn domineeshouding aan. 'Zowel heiligen als zondaren, zuster Buckley. Al Gods schepselen, bezield door de geest.'

'Ik vind het mooi,' zei Salty.

'Ik ben moe,' zei ma.

Babe nam de baby van haar weg. Salty en Hardy hielpen haar de trap af naar haar kamer. Met dezelfde zorgzaamheid droegen ze de grammofoon naar beneden. Het feest was afgelopen.

Salty lag wakker en trachtte zich alles weer voor de geest te halen. De baby was voor hun eigen ogen een persoon geworden. Micah. Iemand die je kon aanspreken, naar wie je kon schrijven en die over honderd jaar opgeroepen kon worden door het uitspreken van zijn naam.

Het leek vreemd dat Kell Miller ergens ver weg niet wist dat hij een zoon had. Misschien had Tom gelijk en had hij er recht op het te weten. Maar misschien betekende het niets voor hem, net zomin als het voor Tom iets had betekend.

Verlangd. Er was naar hem verlangd. Zijn mamma was met hem net zo blij geweest als Jo met Micah.

Maar zijn mamma zou nooit in een boek hebben gekeken. Ze zou nooit de betekenis van een naam hebben geweten als niet iemand had gevraagd, deze? en het had uitgelegd. En ze hadden samen besloten en ja geknikt.

Het woord viel in zijn gedachten uiteen. Hij keek ernaar, zo verslagen alsof hij een geliefd voorwerp had laten vallen dat niet meer gerepareerd kon worden. Salty. Saul T. Hij zag voor zich hoe zijn mamma het opschreef, zodat ma het kon lezen en het kon omvormen tot een roepnaam. Hij zag voor zich hoe zijn mamma haar potlood neerlegde.

Saul Thomas. Is dat alles wat je me ooit zult geven? vroeg hij aan Tom. De eerste letter van je naam?

16

Vanavond om 7 uur
Optreden in de salon van
YEAGER en MCCASLIN in een
SUPERKOLOSSALE KLEINE SHOW
Gaat dat zien!!!!!

Hardy speldde de aankondiging op de rug van Salty's hemd toen hij met het blad eten voor Jo naar boven ging. Jo keek naar Micah die op haar schoot lag te slapen. Ze straalde van liefde. Het was dinsdag, de dag waarop ze Tom beloofd had haar antwoord te geven.

'Wat heb je besloten?' vroeg Salty.

Ze schudde haar hoofd. 'Morgen. Dan zal ik het zeggen. Ik beloof het.'

Salty draaide zich om en liet haar lezen. Ze glimlachte.

Ze was in de salon aanwezig toen Hardy de lakens opzij deed, die bij wijze van gordijn met punaises aan de openslaande deuren waren bevestigd, en het publiek van hun voorstelling onthulde. Babe zat bij de grammofoon. Ma had Micah op schoot. Jo had haar jurk aangetrokken en haar lippen rood gemaakt, maar haar gezicht was zo afgetobd als op de morgen toen Micah kwam. Ze lachte aarzelend toen Salty naar voren trad om het eerste nummer aan te kondigen.

Tom was laat. Ze hadden in een paarlemoeren schemerlicht zonder hem gegeten. Salty liet snel zijn ogen langs de lege leunstoel gaan en was opgelucht.

Hardy trad op in de zwarte cape en deed net alsof hij een goochelaar was bij wie alles verkeerd ging. Hij wipte de cape van zijn schouders en hield hem voor Salty om hem te laten verdwijnen. Toen hij de cape liet zakken, was Salty achter hem geglipt. Hardy, verheugd over zijn goochelkunst, deed nog meer trucs terwijl Salty achter zijn rug rondkroop en zijn vinger voor zijn lippen hield om het publiek te waarschuwen dat ze hem niet mochten verraden.

Babe lachte zo hard dat ze ervan schudde. Iedere keer als Hardy bukte om een nieuw rekwisiet te pakken, graaide Salty het weg. Ten slotte draaide Hardy, in uiterste verwarring, zich woedend om en kreeg hij hem in de gaten. Met sprongen en botsingen en halve missers achtervolgde hij Salty door de hele salon en door de gordijnen naar buiten, als op de film.

Babe kwam tot bedaren en droeg 'Meisje met je blonde haren' en 'De kus van baby' voor terwijl zij zich in hun operakostuums hesen. Hardy, die doodmoe was van te veel bakkerij en showbusiness en te weinig slaap, vloekte voortdurend toen Salty zijn gebroken arm in de nauwe mouw van de japon wurmde.

'Ze vinden het leuk!' siste Salty verbaasd. 'Ze hebben gelachen.' Ze gingen terug en zongen hun duet met de grammofoonplaat. Zelfs Jo lag krom en viel bijna flauw van het lachen. Toen ze hun laatste buiging hadden gemaakt, viste Hardy een klapper uit zijn opgevulde boezem. Salty streek een lucifer af en ze bleven stokstijf staan, met hun handen nog net niet tegen elkaar.

'Niet in mijn salon!' gilde Babe. 'De baby!'

Ze brachten de lont en de lucifer naar elkaar toe. In Hardy's hand sputterde een vlam en met een knal dwarrelde een explosie van kleine zilveren sterretjes als sneeuw op iedereen neer. Micah schrok even op en sliep door.

'Ellendelingen!' stootte Babe uit, in haar uitgestrekte handen sterren opvangend.

Jo zat met haar gezicht omhoog. Stukjes zilver daalden zacht op haar haar neer. 'O, wat mooi,' mompelde ze.

Babe draaide platen terwijl zij zich verkleedden voor de volgende scène. Ze had hun de slaapkamer als kleedkamer afgestaan, omdat daar de spiegel was. Langzaam, gespannen van opwinding, hulde Salty zich in de prikkende hitte van Toms uniform en gespte hij de stugge, gekronkelde puttees om zijn magere benen vast. Hij trachtte de dapperheid na te voelen en de angst.

Ze zouden een plaat draaien en meezingen: 'Rats, kuch en bonen...' Hij zou een uit-de-klei-getrokken soldaat zijn en Hardy, als de gladakker uit de stad, zou proberen hem de Brooklyn Bridge te verkopen.

Het was een moment waarover hij sinds zondag, toen hij de opgevouwen tuniek in de doos had gezien, had nagedacht. Hij wist dat hij hem moest aantrekken. Hij zou het stiekem gedaan hebben als Babe geen toestemming had gegeven. Hij wist dat hij moest weten hoe hij zich erin zou voelen.

Hij ging voor Babe's spiegel staan. Zijn schouders vulden bijna de tuniek. Hij blies zich langzaam op, zodat zijn nek over de kraag puilde, als op de foto.

Hij had een geweer gemaakt van een bezemsteel en een gebroken plank. Hij legde het aan zijn schouder.

Het lied begon. Hij marcheerde, zingend als een bezetene, alleen de kamer uit en liep recht tegen Tom op die in zijn vuile werkkleding uit de keuken kwam.

De muziek marcheerde zonder hem verder. Voor de uitdrukking op Toms gezicht schrompelde hij ineen in het stijve pantser van zijn uniform. 'Mijn God,' zei Tom.

Salty deinsde achteruit, alsof ze twee auto's waren die elkaar op een eenbaansweg tegenkwamen. Instinctief richtte hij het geweer.

Toms verbaasde ogen namen hem van top tot teen op. Hij had het idee dat hij de weg die de blik aflegde door de wol heen op zijn huid kon voelen. 'Doe dat ding weg,' zei Tom. 'Rotjoch.'

Hij kon zich niet verroeren. Angst viel als granaatscherven aan alle kanten om hem heen.

Hij voelde dat Hardy hem door de gordijnen van lakens achteruit trok naar de slaapkamer. Babe rende langs hen naar Tom, met een gezicht dat even geschrokken stond als dat van hem. 'Wat heb ik gedaan?' vroeg Salty smekend, terwijl hij met bevende handen de stijl van de trapleuning vastpakte. 'Wat heb ik gedaan?'

Hardy duwde hem de slaapkamer in en knoopte zijn uniform los. 'Niets. Stil maar. Je bent hem te na gekomen, dat is alles. Kom, doe je soldatenpak uit en trek je eigen kleren aan.'

Salty wurmde zich in zijn overal. Zijn bezwete huid had kippevel. 'Is de voorstelling afgelopen?'

'Ik vind dat we de finale zojuist hebben gehad,' zei Hardy.

Salty zocht tastend zijn weg door de keuken en bleef nog steeds bevend op de achterveranda staan. Hij kon zichzelf niet begrijpen. Hij had nog nooit de behoefte gehad om te kijken in iemands binnenste, waar het verdriet en de redenen ervoor verborgen waren. Waarom had hij het niet met rust kunnen laten en was hij niet doorgegaan met haten en kwetsen? Wat had hij verwacht? Dat Tom zijn armen zou spreiden en zeggen: Hé, je lijkt precies op mij?

Tolly had zijn kop al onder de veren gestoken en was ingeslapen. Hij wou dat hij ook sliep. Zodat wat gebeurd was een droom werd.

Hij liep traag om het huis heen en sloop achter de verwaarloosde taxushaag, om door het raam van de salon naar binnen te kijken. Babe haastte zich met de baby de kamer uit terwijl Jo langzaam volgde. Hardy, die nog de kleren van de gladakker aanhad, hield ma bij de arm terwijl ze naar haar kamer strompelde. Tom zat met zijn handen tussen zijn knieën; zijn gezicht zo stil en wit als het gevallen gordijn. Babe stak haar hand binnen de deur en deed het grote licht uit. Er scheen slechts een zwak licht bij de grammofoon waarop de vergeten plaat draaide.

Aan de andere kant van de taxushaag bewoog iets. Salty duwde angstig een tak opzij. Idalee stond voor het andere raam evenals hij naar binnen te kijken; op haar gezicht vielen schaduwen van het bloempatroon in het kanten gordijn. Hij drong door de takken heen en pakte haar armen voordat hij besefte dat ze groter was dan ze behoorde te zijn. Ze viel geruisloos boven op hem, met in haar handen de stelten waarop ze had gestaan om naar binnen te kijken.

'Wat moet dat?' siste hij. 'Dat mag niet.'

'Ik kijk alleen maar,' siste ze terug. 'Het is toch een voorstelling?'

'Die is nu afgelopen. Ga dus naar huis.'

'Waarom zijn jullie opgehouden?' fluisterde ze. Ze stonden voorzichtig op. Tom zat nog met gebogen hoofd. Idalee stapte weer op haar stelten. 'Je was werkelijk grappig. Je was grappiger dan Buster Keaton en Fatty Arbuckle bij elkaar.'

'Vind je?' Hij zag zichzelf weer voor zich en veranderde zijn opkomende voldoening in een schouderophalen. 'Ik ga waarschijnlijk optreden in films. Mijn vriend en ik gaan desnoods op rolschaatsen naar Hollywood.'

Ze was te veel onder de indruk of te skeptisch om te antwoorden. Babe kwam terug in de salon. Ze bleef achter Tom staan en legde haar handen op zijn schouders. Een poosje later haalde ze de plaat van de grammofoon en legde er een andere op. Een kleine jazzband begon 'Tea for Two' af te draaien. Glimlachend knikte en klapte ze zachtjes op de maat. Ze trok Tom overeind. Hij deed aarzelend een pasje en schudde zijn hoofd.

'Wat doen ze?' fluisterde Idalee. 'Waarom probeert ze hem op te vrolijken?' Salty gaf haar een stomp.

Langzaam verflauwde Babe's glimlach. Ze ging weer de kamer uit. Hij wankelde achter haar aan, als een vlam die meeflakkert met de tocht. Hij keek naar de grammofoon en zijn voeten in hun werkschoenen en witte sokken begonnen te schuifelen op de maat van het lied. Idalee proestte het uit, zodat ze bijna weer van haar stelten viel. 'Probeert hij te dánsen?'

Salty trok haar op de grond. 'Luister, ik heb gezegd dat je naar huis moest gaan.'

'Maar het is hier leuker dan thuis,' protesteerde Idalee. 'Jullie hebben hier altijd plezier. Mag ik niet eens kijken?' Ze zette haar stelten recht om er weer op te klimmen, maar hij hield haar arm vast.

'Nee.' Hij beefde weer van verwarring. Hij kon niet geloven dat iemand hem vanavond benijdde. Maar ze mocht niet naar Tom kijken als hij heel alleen danste voor Babe, met ellebogen die naar buiten staken als de poten van een sprinkhaan. 'Ga naar huis,' fluisterde hij en hij vroeg zich voor het eerst af hoe het was in dat huis aan de overkant.

'Niet voordat je belooft dat ik je eend mag zien.'

'Morgen,' zei hij, bereid om alles te beloven.

'En dat ik wat van die mooie dingetjes mag hebben die omlaag sneeuwden. Die zilveren vlokjes.'

'Ik zal de hele zwik bewaren als ik ga vegen. Ga nu naar huis.'

Ze klom op haar stelten en hield zich aan de vensterbank vast toen hij haar een zetje wilde geven. 'Waarom houdt hij zijn mond zo wijd open?' vroeg ze, naar binnen kijkend. Ze liet haar stem dalen bij de aanblik van iets dat ze nog nooit had gezien. 'Waarom huilt hij? Mannen kunnen niet huilen.'

Hij wrikte haar los en verjoeg haar met een stelt die hij haar achterna gooide toen ze met een vaartje de straat overstak.

Hij kon niet naar het raam terug. De grammofoonplaat was opgehouden. Hij ging tegen de fundering van de veranda zitten. Hij wou dat ze het niet had gezien. Hij was blij dat hij het niet gezien had. Hij wilde Tom haten zonder zich door andere gevoelens in de war te laten brengen. Maar hij had al te veel gezien. De schim van een jong en liefhebbend en onbeschadigd iemand, die had gedanst en met zijn mamma had gevrijd en die in de oorlog was omgekomen.

17

De volgende morgen zat ma op de voorveranda Micah te wiegen toen Jo langzaam over het gras naar buiten kwam en haar gezicht ophief naar de zon. Salty die op de bovenveranda aan het schilderen was, keek op haar neer, vrezend dat ze haar besluit had genomen.

Het maakte hem bang. Hij wilde dat ze het iedere dag weer zou uitstellen. Hij had het gevoel dat hij niets hoefde te ondernemen zolang als zij bij de pakken bleef neerzitten.

Idalee reed op haar gammele fiets het trottoir op en riep: 'Wanneer mag ik je eend zien?'

'Ganzerik,' riep hij terug. 'Ik ben bezig. Ga naar huis.' Hij had de zilveren sterretjes, vermengd met wat stof van het tapijt, in een oude envelop in zijn zak, maar hij was niet van plan die voor ieders ogen naar haar toe te gooien. Ze ging pruilend weg.

Hardy gaf de balustrade een lik en legde zijn kwast neer. 'Ik heb een goed idee. Laten we even pauzeren en Jo, nu ze op is, gaan voorstellen aan Tolly de Verschrikkelijke.'

Ze gingen naar beneden en liepen naar haar toe. Hardy maakte een zwierige buiging. Zij maakte een keurige revérence en liet zich door hen begeleiden naar het perk achter het huis.

Tolly stak zijn kop door de afrastering en sabbelde aan haar vingers. Het eindigde ermee dat hij haar zijn lange hals en witte tafzijden rug liet strelen. Salty had hem wel een medaille willen geven omdat hij zo aardig was. Ze zei: 'Je bent mooi, je bent een mooie grote vogel. Je bent een gedicht met veren.'

'Hij vindt je aardig,' zei Salty. Hij probeerde op haar gezicht te lezen wat ze tegen Tom ging zeggen. 'Als je blijft, zal hij heel gauw aan je gewend zijn.'

Door het gaas heen ging ze met haar vingers op en neer over Tolly's trotse ronde borst.

Hardy zei: 'Tom denkt dat je iets verzwijgt. Hij denkt dat hij de politie erbij moet halen om een beslissing van je los te krijgen. Heeft hij gelijk?'

Ze streelde Tolly's nek en maakte het hikkende geluid dat op een lach leek. 'Heeft hij gelijk?' Salty wilde haar hand pakken en stilhouden totdat ze een antwoord zou geven. 'Ik heb de hele nacht liggen nadenken. Omstreeks drie uur in de morgen wilde ik niets anders dan Micah onder mijn arm nemen en weglopen om nooit meer op te houden.'

'Dat zou over een paar jaar voor Micah een beetje lastig worden,' zei Hardy geduldig. 'Om iedere dag in een andere plaats naar school te gaan.'

Ze lachte, zo dicht tegen huilen aan dat het hetzelfde geluid was.

'Je hoeft niet weg te lopen,' barstte Salty uit. 'Je kunt hem schrijven. Je kunt hem zeggen dat je niet meer met hem getrouwd wilt zijn. Dan kun je hier wonen en een baan zoeken en kunnen ma en ik voor Micah zorgen.'

Jo en Hardy keken elkaar aan. Jo zei: 'Maar Salty, Micah hoort evenveel bij zijn vader als bij mij.'

'Nee, niet waar,' zei hij, terugdenkend aan de bloedvlekken op zijn bed.

'Op een andere manier. Als hij nu eens veranderde doordat hij Micah kende? Als hij nu eens dit werk opgaf en een goede vader werd?'

Hardy zei: 'Heel aardig en God heeft je erom lief, zuster Miller, maar een slechte echtgenoot veranderen is vechten tegen de bierkaai.'

Ze zei: 'Denk je eens even zijn situatie in, Hardy. Als ik Rose Ann was en jij in Kansas City zat te wachten bij de telefoon...'

'Dat is heel wat anders,' zei hij, boos omdat hij erin betrokken werd. 'Iedere man kan in vijftien minuten vader worden. Dat is gemakkelijk. Maar om in de volgende vijftien jaar van een kind te houden en in zijn onderhoud te voorzien en hem een voorbeeld te geven om na te streven – dat is de moeilijke kant ervan. Hij zal niet veranderen, Jo. Als je teruggaat, hoop je alleen maar tegen beter weten in.'

'Dat weet ik,' zei ze kalm. 'Maar als ik niet voor hem kan hopen en hem niet kan liefhebben, met alles wat ons bindt en alles wat we hebben gedeeld, wie kan het dan wel? Wie kan hem vergiffenis schenken of zich bekommeren om wat er van hem wordt, als ik dat niet doe?' Ze legde haar hand op Salty's knie toen hij naast haar neerknielde en Tolly's vleugels gladstreek. 'Ma vertelde me dat ze bijna haar eigen zoon had vermoord. Jouw grootvader. Omdat hij je moeder kwaad had gedaan toen ze een klein meisje was. En toch, uit al die gewelddadigheid en droefenis ben jij voortgekomen, zo vol liefde, en het was het waard.'

Ze hief haar handen op en liet zich door Hardy overeind trekken. Ze liepen door de steeg langs de stinkende vuilnisbakken. Ze sloeg op een van de deksels.

'Hé. Een dergelijk vertrouwen heeft iets nobels, vind ik. Dat je een sprong voorwaarts doet, zelfs over generaties heen en met alle middelen erop aanstuurt dat er iets goeds tot stand komt. Dat is toch geweldig?' Ze hief haar lachende gezicht weer naar de zon.

'Ga niet terug,' zei Salty. Als ze wegging, zou ze al dat geloven-in-goedheid gedoe meenemen. Zelfs het goede dat ze in hem zag zou er niet meer zijn als zij er niet was om erin te geloven. 'Ik had willen zien wat er van Micah terechtkwam. En voor jou willen zorgen.'

Jo sloeg haar armen om hem heen. Hij voelde haar volle, moederlijke borsten tegen zijn ribben. 'Je hébt voor me gezorgd. Dat heb je al gedaan.' Jo lachte met betraande ogen en hield hem bij de schouders van zich af als een tante die verbaasd is dat hij al zo groot is geworden.

Hij trachtte zich voor te stellen hoe het zou zijn om haar nooit meer te zien. Of erger nog. Om op straat de ruggen van vrouwen en kleine jongens te zien zonder ooit zeker te weten.

Ze zei: 'Ik weet van jou en Tom, Salty. Ik heb het gisteravond aan Hardy gevraagd toen de voorstelling zo plotseling werd afgebroken en we hebben een hele tijd zitten praten. Ik wou dat je Tom al die jaren had kunnen hebben. Ik wou dat hij jou had kunnen hebben. Jullie hadden elkaar nodig. Ik wil dat Micah zijn vader kent. Ik moet naar hem terug. Ik moet het gewoon riskeren. Want ik wil niets liever dan dat Micah's vader hem kent.'

Salty voelde een kilte als een schaduw over hem heen vallen. Het was alsof ze Micah aanbood ter vergoeding van al die blind geworden mensen, een kleine hulpeloze liefdesgave die, naar ze geloofde, de macht had om dingen te veranderen.

In Tolly's perk gilde een kind. Een andere stem schreeuwde een ris woorden die hortten en stootten van rennen en schreeuwen tegelijk. Ze draaiden zich geschrokken om. Salty stormde terug door de steeg, alsof Tolly's woedend gesnater een hoornsignaal was geweest.

Er waren vier Eversoles in het perk. Tolly, met zijn vleugels gespreid als een wrekende engel, sloeg naar ze terwijl ze wegdoken en alle kanten op stoven. Idalee kreeg een vleugeltip te pakken. Terwijl Salty zijn hand uitstak naar het hek, rukte Tolly zich los; hij draaide zich met een felle beweging om en gaf haar een houw over haar arm met het hamerharde gewricht van zijn vleugel. Voordat ze haar mond kon opendoen om te gillen, had hij in het zitvlak gebeten van Eversole nummer vier en zette hij koers naar nummer twee.

Ze vluchtten in paniek langs Salty toen hij het hek opendeed. Door zijn eigen hijgende ademhaling heen hoorde hij hoe het geblèr van Idalee werd afgekapt door de deur van haar huis.

Babe kwam van de achterveranda aangerend net toen Hardy en Jo toeschoten. 'O, mijn God, ik dacht dat er iemand vermoord werd!' Ze hield haar hart vast. 'Dit wil ik niet hebben. Die gans is gevaarlijk.'

'Maar ze waren in zijn perk,' riep Salty uit. 'Ze vielen hém lastig – hij is niet in hún huis ingebroken!'

'Ik wil het niet hebben,' zei Babe, duikend voor een onzichtbaar kanon dat de Eversoles op haar gericht hielden. 'Ze kunnen schadevergoeding van ons eisen.'

'Maar zíj waren in zijn...'

'O, Hardy, ga Tom halen. Ik weet niet wat ik moet doen.'

Hardy pakte haar trillende handen. 'Kom, Babe, kalmeer

een beetje. Laten we erheen gaan om te zien wat voor schade, zo die er is, Tolly de Verschrikkelijke heeft aangericht en daarover praten.' Hij begaf zich met haar naar de overkant terwijl ze zenuwachtig haar haar fatsoeneerde.

Jo hoorde de baby. Ze gaf Salty een kneepje in zijn schouder en haastte zich naar de voorveranda. Salty ging onder Tolly's perzikboom zitten en sloot zijn ogen. Hij hoorde het geritsel van veren, zo zacht als zijde, toen Tolly ze weer gladstreek.

'Nu heb je het verbruid, eend,' zei hij zonder te kijken.

'Hoei,' zuchtte Tolly en hij graasde, zich van niets bewust, in Salty's haar.

Zodra Tom van zijn werk thuiskwam, nam Babe hem mee naar de salon en ze sloot de deur. Salty brak een bord toen hij het avondeten klaarzette, bang voor wat ze hem zou vertellen. Hardy kwam binnen en hielp hem het bord te lijmen. Hij zei: 'Nou, nou, het viel allemaal erg mee. Mama Eversole leek me er eentje die zelf de kinderen de nodige blauwe plekken bezorgt als daar aanleiding toe is.'

'Babe is het Tom aan het vertellen,' zei Salty.

'Dat heb ik gezien,' zei Hardy en hij stopte het bord achter het fornuis om te drogen.

Ze hoorden de hor van de voordeur. Tom ging naar de overkant.

'Laten we verf gaan krabben en Babe de borden laten breken,' zei Hardy. Hij nam Salty mee naar de zijkant van het huis en zette de ladder op. Even later hoorden ze met pannen smijten in de keuken.

Tom kwam terug van de overkant; hij keek naar ze en ging naar binnen.

Het was mis. Deze keer was het echt mis. Salty had kramp in zijn buik van angst voor het naderende noodlot. In huis zei een stem iets, bijna zo luid dat hij het kon horen. Hij kromp ineen en haalde zijn hand open aan een spijker. Hij ging door met krabben. Maar Hardy zag het en stuurde hem naar binnen om zijn hand te wassen en er een lap om te doen, opdat hij niet nog meer bloed op de muur zou morsen.

Babe was de tafel aan het dekken en huilde. Tom leunde tegen de rand van de tafel en knikte somber bij ieder verstikt woord dat ze zei. Salty bleef in de gang staan, zich afvragend of afluisteren werkelijk verkeerd was als het iemand voorbereidde op het lot dat hem te wachten stond. Het was eerder een soort van verzekering. Plotseling sprong er een woord uit dat hem dwong tot luisteren.

'Dat blik!' barstte Babe los. 'Dat walgelijke blik. Ze gooit het om, Tom. Dan probeert ze het op te vegen met alles wat ze maar voor het grijpen heeft, een sloop...'

'Ja, ja,' zei Tom. 'Dat weet ik. Dat heb je me de vorige keer dat het gebeurd is ook al verteld. Maar Babe, als je het nog even zou kunnen volhouden...'

'Tom!' riep ze, haar tranen driftig afvegend, 'ik heb dit allemaal al eerder gedaan, of weet je dat niet meer? Terwijl jij weg was om met je geweertje de oorlog te winnen, lepelde ik havermout in die moeder van je en verschoonde ik haar lakens. Je weet wat bedlegerig betekent, Tom. Vier maanden bedlegerig. En toen, nog voordat ik kon leren een hele nacht door te slapen zonder dat haar belletje rinkelde, kwam jij en hoestte je je longen uit in datzelfde bed.'

'Babe...' zei hij.

'Ik ben moe, Tom. Ik ben moe!'

'Dat weet ik.' Hij drukte zijn armen tegen zijn maag en greep met beide handen zijn ellebogen vast als een vergiftigde koning in een film. 'Het enige dat ik vraag...'

'Ze kan nog wel tien jáár leven, Tom. Ga jij met de ondersteek sjouwen? Over die stomme gans kun je in vijf minuten een besluit nemen, maar ik moet de boel blijven schoonmaken van een oude vrouw die ik niet ken, speeksel opvegen...'

'Ik vraag je niet het eeuwig te doen. We hebben misschien een koper. Hij komt morgen kijken.'

Salty nam stil de benen naar de voorveranda en zocht verdoofd zijn weg naar de zijkant van het huis.

'Waarmee heb je je gewassen?' vroeg Hardy. 'Met een dauwdruppel?'

Salty staarde naar het kleverige bloed op zijn hand, zich

afvragend wat hij had vergeten. Hij liep langs Hardy en ging weer krabben, huiverend ademhalend van angst. Een paar minuten later stapte Tom in de auto en reed hij weg.

Toen Babe belde voor het avondeten, zei hij: 'Ik heb geen trek.'

Hij wachtte tot de keuken leeg was. Toen maakte hij voor ma een blaadje klaar met broodbeleg, als aanvulling op haar noten. Hij zat krampachtig ineengedoken op haar bed terwijl ze schommelend zat te eten.

'Bij ons thuis, toen ik een meisje was,' zei ze, 'mochten we overdag niet op de bedden. De mannen strekten zich na het middagmaal op de grond uit, voordat ze weer naar het land gingen. Dat was voorschrift van mijn mammie. Nu lijkt het vreemd.' Ze hapte verkeerd in een tomaat en het sap spatte op haar voorhoofd. 'Toen leek het niet vreemd. Zelfs niet toen mijn pappie op de grond stierf.'

Salty veegde de zaadjes en het sap weg met haar grote zakdoek, gemaakt van een suikerzak. Hij wou dat hij zoals zij in zijn gedachten van de ene kamer naar de andere kon lopen en deuren achter zijn zorgen dicht kon doen. Hij deed een poging. 'Waaraan is hij gestorven?'

'Dat weet ik niet meer. Ik was klein. Iets vlugs, hoop ik, zonder een bed.'

'Tolly is in moeilijkheden.' Het was niet zijn bedoeling geweest haar met zijn problemen lastig te vallen, maar het glipte eruit. Hij begon een boterhammetje klaar te maken van het brood en de potjes die hij haar had gebracht.

Ma knikte. 'Dat was te horen.'

Hij maakte een boterham met pindakaas en mosterd, maar dat smaakte zo afschuwelijk dat hij de volgende met pindakaas en augurkjes maakte.

'Ik ben ook in moeilijkheden,' zei ma, die dezelfde combinatie probeerde op haar boterham. 'Ze is woedend op me. Ik had vergeten dat geval in de wc door te spoelen.' Hij trachtte net te doen of hij lachte, maar zijn tong weigerde. 'Ze is overdreven netjes, dunkt me.'

Hij slikte zijn pindakaas door en stemde in met een nerveus lachje.

'Ik wil niet dat we eruit gegooid worden,' zei ma. 'Ik geloof dat je het eigenlijk wel prettig vindt, de opvoeding die je hier krijgt – ook al ben je soms opstandig.'

Hij voelde het huis door zijn vingers glippen, net als de andere dingen die hij was kwijtgeraakt. Zijn mamma. De rivier. Hij wilde het stevig vasthouden, die kamers, zelfs de taart waar ze nu aan begonnen. Hij wilde zich net zo lang vastklampen totdat het tot een ontknoping en tot rust zou komen. 'Jo vertrekt. Ze gaat naar haar man terug.'

'Zo?' Ma veegde tomatesap van haar vinger die om haar trouwring was opgezwollen als een boom om een ijzeren band. 'Ze moet doen wat ze niet laten kan.'

Verdriet welde in haar ogen op. 'Er komen wel weer andere baby's om vast te houden, ma,' zei hij om te sussen. 'De boon, bij voorbeeld.'

'O, ik heb mijn portie aan baby's gehad,' zei ma. 'Maar zij was een lieve vrouw.'

'Ik weet hoe het zit met Tom,' zei hij. De taart viel van zijn vork. Hij prikte harder, in een waas van treurigheid, en gaf haar gelegenheid om onopgemerkt haar gezicht weer in de plooi te trekken. 'Waarom hebt u het me niet verteld?'

Ze at haar taart in omgekeerde volgorde, eerst de korst zodat de laatste hap alleen maar uit zachte banaanvulling en schuim bestond. 'Ik heb het je mamma in het ziekenhuis gevraagd, in februari, ik vroeg haar, "Dovie, mag ik het hem niet vertellen?" en ze schudde haar hoofd. Dus, wat kon ik doen?'

'Hij wil het Babe ook niet vertellen,' zei hij. 'Waarom? Schaamt hij zich voor me?'

'Voor zichzelf.'

'Dat is dom.'

'Wel, mensen stellen zichzelf regels. Hij heeft een van zijn regels gebroken, dat is alles.'

Hij keek hoe ze potjes met de verkeerde deksels dichtmaakte en de kruimels in haar holle hand veegde. 'Ik ga het haar vertellen,' zei hij.

Ma keek rond, treurig en vermoeid, en stak ten slotte de kruimels in haar zak.

'Alles. Wie ik ben. Het huis aan de rivier waar hij ons verborgen hield.' Zijn stem trilde. 'Het is zinloos hier te wonen. Er altijd bij te hangen, ongewenst. Ze staan op het punt om dit huis te verkopen. Maar ze zal het weten voordat we hier weggaan. Ik ga het haar vertellen.'

Ma nam zijn hand in haar koude vingers die beefden als de zachte bovenlaag van de taart die hij niet opkon. 'Mijn jongen,' zei ze, 'ik weet dat hij je gekrenkt heeft. Ik begrijp het. Maar nee, Salty. Nee. Zoiets wil je niet doen.'

'Ik wil het wel!' Hij voelde haar handen knijpen in een poging om hem iets op het hart te drukken waarvoor ze de juiste woorden niet kon vinden.

'Mijn jongen,' mompelde ze, 'hij is alleen maar een man die toevallig je vader is. Je hebt een hemelse vader die je liefheeft en je nooit in de steek zal laten. Hij is degene die je wilt eren en gehoorzamen...'

'God,' zei hij, er een vloek van makend en niet wat ze bedoelde. 'Kom me niet aan met godsdienstige praatjes. Ik heb hulp nodig.'

'Ik help je ook,' zei ma. Maar hij had het blad al onder haar handen weggehaald en liep naar de deur.

18

Wickwire verknoeide de dag van de Vierde Juli niet door te slapen. De volgende morgen voor zonsopgang knalden er al voetzoekers. Toen Salty de voordeur uitkwam om te luisteren, kwam hij tot de ontdekking dat Idalee het hele trottoir had volgekalkt met openbare bekendmakingen. SALTY DOET MEIDENWERK, luidde de eerste. SALTY'S EEND IS GEMEEN! IK HAAT STOMME SALTY. Er was een portret met schele ogen en een uitgestoken tong.

Hij haalde de tuinslang en spoelde alles weg.

Tom had een vrije dag. Hij ging weer aan de slag met de grasmachine. Ze passeerden elkaar in de voortuin zonder iets te zeggen.

Jo kwam beneden om te ontbijten. Maar Hardy sliep en ma wilde niet komen. Ze schudde haar hoofd en keek vastbesloten een andere kant op toen hij het ging vragen. Hij stond achter Tom te kijken hoe hij toost maakte en zijn koffie roerde en hij vroeg zich af of Tom zijn gedachten kon voelen. Kon hij de haat proeven die zo zwart als roet op zijn eieren neerzeeg?

Jo zei: 'Meneer Buckley, zou je me een dienst willen bewijzen? Ik vertrek vandaag. Zou ik...' Ze draaide haar trouwring rond. 'Zou ik dit voor genoeg kunnen verpanden om een treinkaartje te kopen?'

Tom en Babe keken haar aandachtig aan. 'Liefje, weet je het zeker?' vroeg Babe. Jo knikte en keek met haar ernstige ogen Salty aan. 'Maar, liefje, het is veel te vlug om nu al op reis te gaan.'

Tom zei: 'Er is vast wel een andere manier om aan een kaartje te komen.'

'Nee. Na alles wat jullie voor me hebben gedaan, nee. Ik wil het op deze manier.' Jo draaide de ring almaar rond. 'Als alles goed gaat wanneer ik thuiskom, zal mijn man hem loskopen. Als het niet goed gaat, zal ik hem niet meer nodig hebben.'

Salty ging naar de keuken; hij leunde tegen de gootsteen en veegde de schraapsels van verbrande toost naar de afvoer.

Babe kwam bedrijvig binnen. 'Laten we zorgen dat de luiers van gisteravond nog gewassen zijn. Ik zal ze droog strijken. En ze moet brood mee voor in de trein. Hup, Salty.'

Als in een droom hielp hij verzamelen wat nodig was. Babe gaf Jo de wasmand, gepakt met zo veel babykleertjes en boterhammen dat er nauwelijks plaats was voor Micah. Tom haalde de auto uit de garage.

Salty zette de mand op de achterbank. Toen hij terugkeerde, stond Jo in de gang ma te omhelzen. 'Ik ga naar huis, overgrootje.'

Ma hield haar vast en knikte. 'Ik zal je nooit meer zien,' mompelde ze.

Haar tranen wegknipperend richtte Jo zich tot Babe. 'Bedankt voor alles.'

'Heb je het aan Hardy verteld?' vroeg Babe terwijl ze haar Micah aanreikte.

'Vanmorgen, toen hij van de bakkerij kwam.' Ze keek Salty aan. Hij zette zich schrap. 'Ga mee me naar de trein brengen.'

Ze legde Micah in de mand. Salty ging ernaast zitten. Tom hielp haar voor instappen. Ze reden weg.

Bij de lommerd trok Jo de ring van haar vinger. Tom pakte hem aan en ging naar de deur. Die was gesloten. Jo zei: 'Natuurlijk. De Vierde Juli.' Ze keken door de getraliede ramen naar het donkere interieur vol wachtende voorwerpen. Tom haalde zijn portefeuille uit zijn zak en bladerde een dun pakje bankbiljetten door. Hij stapte weer in de auto.

'Dat was suf. Maar we redden het wel.'

'Wil je hem dan morgen belenen en jezelf terugbetalen?'

'Natuurlijk,' zei Tom. Hij reed naar het hoofdkantoor van de ijsfabriek en ging bij zijn baas naar binnen. Salty kon de omtrek van zijn arm en schouder door het raam zien toen hij om een voorschot vroeg. Hij stak zijn hand uit. Jo wreef over haar vinger die nog de moet droeg van een onzichtbare ring.

Ze reden onder de spandoeken in Main Street door. Het station was getooid met lusteloze vlaggen en wimpels. Tom ging met Jo naar binnen om haar kaartje te kopen.

Salty duwde zijn vinger tegen Micah's vuist. Micah's garnalevingers gingen open en sloten zich weer om de zijne.

'Wees gelukkig,' zei Salty.

Hij stapte uit toen hij ze terug zag komen. Ze bleven met overdreven opgewekte gezichten bij elkaar staan, niet wetend wat ze moesten zeggen. In de verte hoorden ze de trein bij een overweg. Iets in Salty nam de trilling van de trein over en begon te beven. Ze ging naar huis om te doen wat ze goed vond en hij had haar nodig.

Ze gingen dichter bij de spoorbaan staan, waar zich een groepje mensen verzameld had. Tom zette de mand op een lorrie. Jo beschermde met de punt van een luier Micah's ogen tegen de zon. Tom tastte in zijn zak. 'Je moet een tijdschrift hebben,' zei hij en hij ging naar binnen.

Jo lachte Salty toe. De trein kwam snuffelend als een wezel met zijn neus achter de graanelevator vandaan en de rest volgde, laag tegen de grond en donker.

Voor het oog van alle mensen sloeg Jo haar armen om hem heen. Hij werd zo stijf als een spoorbiels. Toen strekte ook hij zijn armen uit om haar met al zijn kracht tegen zich aan te drukken, zo abrupt dat hun neuzen met een scheut van pijn tegen elkaar botsten. Hun kinnen vonden een rustplaats op elkaars schouders en tegen zich aan voelde hij haar zachte buik, waar het bijzondere kind had gezeten.

'Je hoeft nog steeds niet te gaan,' zei hij.

Ze deed een stap achteruit en hield zijn hand vast boven de hoek van de lorrie, met Micah als een picknickmand voor de feestdag tussen hen in. De trein gromde en groeide, deed de lucht trillen en kwam achter hem, het licht wegnemend, langzaam en knarsend tot stilstand.

'Salty,' zei ze zacht, 'mensen moeten hun leven op hun eigen manier uitkienen. Wens me het allerbeste, zoals ik jou het allerbeste wens.'

Ze legde Micah tegen haar schouder, precies zoals zij en Salty dicht tegen elkaar hadden gestaan om afscheid te nemen. Hij rook de ammoniastank van een alweer natte luier die de volgende dag ergens anders gewassen zou moeten worden.

'Ik geloof in je, Salty. Ik zal je schrijven. En foto's van Micah sturen. Mensen die ik liefheb laat ik niet los.'

Door de stoom van de locomotief heen kwam Tom aangelopen. De mensen stapten in. Hij gaf de mand van Micah aan de conducteur.

Jo stapte in de trein. Tom klopte op zijn zak en riep: 'Wacht even, waar moet ik het lommerdbriefje heen sturen?'

Jo zei: 'Bewaar het maar voor me. Ik weet waar je bent.' Ze ging naar binnen en ze zagen haar langs de ramen gaan zonder naar buiten te kijken. Je zult het niet weten wanneer het huis is verkocht, wilde Salty haar zeggen, maar ze keerde zich lachend voor de laatste keer om en verdween.

Hij bleef kijken tot de trein over de lange zachte helling als de kromming van de aarde was verdwenen en er zelfs geen rook meer was te zien. Tom stond naast de auto op hem te wachten.

'We moeten praten,' zei Tom.

'Ik wil naar huis lopen,' antwoordde Salty en hij liep weg.

'Salty...'

Ergens ging een serie gillende keukenmeiden af als het opstijgende bloed dat in zijn oren klopte. Hij sloeg een steeg in achter Main Street. Hij liep langs de ijsloods en haastte zich door de ranzige stank van de lijmfabriek naar de straten met huizen. De trein trilde nog in hem na.

De auto van Tom stond al in de oprit geparkeerd toen hij aan het begin van de straat de hoek omkwam. Een bestelauto reed net van het huis weg. De koper, dacht hij. Zijn stappen werden langzamer. Waar moesten ze heen? Ze konden niet weg. Ze konden niet uiteengaan en alles onafgemaakt achterlaten. Het zou net zoiets zijn als een lichaam waar een kogel in zat en dat niet kon genezen. Geef ons tijd! riep hij in stilte naar de verdwijnende vrachtauto.

Hardy stond slaperig en verfomfaaid op de veranda. Hij

keurde bezorgd Salty's ogen en zei: 'Laten we een paar kostuums uitzoeken. We kunnen die optocht niet laten vertrekken zonder ons.'

Hij nam Salty haastig mee naar het souterrain. Babe riep naar beneden: 'Het middageten is alleen maar koude kip en kwast, in de salon bij de radio.'

Hardy haalde jassen te voorschijn en gekke hoeden en rode pruiken. Hij plakte met vloeibare lijm snorren onder hun neus. 'Pas op dat je het niet met je kwast naar binnen krijgt,' zei hij. Maar hij lachte niet. Hij zei: 'Salty, ik kan het je maar beter zeggen...'

Een van de souterrainramen werd donker. Idalee keek naar binnen. 'Mag ik bij jullie komen?' riep ze.

Hardy aarzelde. Toen maakte hij de hor los en hij ving haar op toen ze door het raam klom en zich liet vallen. Ze sloeg zorgvuldig het stof van haar overal die even slap was als die van Salty.

'Ik dacht dat je als spook zou gaan,' zei hij. 'Met Clara Bow eronder.'

'Ik mag niet meedoen,' zei Idalee, likkend aan een muggebeet op haar arm. Salty moest wel de ronde plek zien, zwart als een verroeste dollar, waar Tolly haar had geslagen. Hij floot zacht door zijn tanden, in de hoop dat het voor een verontschuldiging kon doorgaan. Ze keek naar de plek. 'Als je dat erg vindt, zou je mijn achterste moeten zien. Hij heeft de haarborstel op me stukgeslagen.'

'Heb je een pak slaag gehad?' Het was het eerste goede nieuws dat hij die dag hoorde. 'Van je váder? Waarom?'

Op haar vingers aftellend somde ze de redenen op. 'Omdat ik je eend heb lastig gevallen. Omdat ik lelijke dingen op het trottoir heb geschreven. Omdat ik zeg dat hij mij altijd slaag geeft voor wat Purvis en Dixie en A.C. en Bootsie hebben gedaan.'

'Je had blijkbaar heel wat op je kerfstok,' zei Salty, minder zeker van zichzelf dan hij zou willen.

'Toen heeft hij mijn rouge en lippenstift met carbolzeep afgewassen en ik mag niet in de optocht.' Ze schudde schouderophalend haar ellende van zich af en bekeek met benijdende ogen de stapel kostuums. 'Maar ik zou met jullie mee kunnen lopen en kijken. En het spijt me van je eend.'

'Ganzerik,' zei hij, niet helemaal begrijpend wat ze bedoelde.

Hardy ging naar boven met de doos vuurwerk dat hij had besteld.

'Sterretjes!' zei Idalee. 'Mag ik vanavond een sterretje afsteken?'

Salty keek Hardy aan. Hardy haalde zijn schouders op. Salty mompelde: 'Och. Oké.'

Ze gingen naar de keuken. Salty stapelde hun kostuums op een stoel. Hardy duwde hem in de richting van de salon. 'Eten,' zei hij opgewekt. 'Het verrukkelijke Vierde Julimaal!'

'Ik heb Tolly nog geen eten gegeven,' zei Salty en hij draaide zich om. Babe en Tom bleven ineens met bladen vol eten staan. De stilte vervulde Salty langzaam van bange voorgevoelens. Hij liep naar de veranda.

Achter hem zei Babe: 'Heb je niet?' en Hardy antwoordde: 'Ik kon niet.'

Op de onderste trede stond de bak waarin hij altijd Tolly's water deed. Hij was leeg. Een krulletje wit dons lag op de bodem. Salty's hart begon hevig te kloppen. Het opgerolde kippegaas van Tolly's omheining stond tegen de muur van het huis.

Hij had het gevoel of het een grap was, iets dat hij speelde in een voorstelling, op een langzaam kantelend toneel, terwijl Babe en Tom en Hardy en Idalee ademloos toekeken. Hij richtte zich tot Tom. 'Waar is Tollybosky?'

Babe deed, als een soldaat in het gelid, een stap naar voren. 'Luister Salty,' begon ze, 'we waren verplicht dit te doen. De man kwam terwijl jij naar huis liep...'

Salty keek naar Hardy's gezicht dat schuilging achter zijn snor. 'Wat bedoelt ze!'

Tom zei: 'Het is eigenlijk maar goed dat je niet hier was. Ik heb je ganzerik naar een boerderij gestuurd.'

Salty staarde. Hij voelde dezelfde pijn als toen de elektrische stroom door hem heen flitste. 'Nee,' zei hij.

Hardy pakte zijn schouder. Hij sloeg Hardy's hand weg en rende het erf op. Er was geen perk meer. Alleen nog een vierkant stuk dun gras, bezaaid met geruide veertjes als madeliefjes.

Hardy kwam achter hem aan. 'Salty, je moet proberen om niet...'

'Nee,' schreeuwde hij naar Tom die op de verandatrap naast Babe stond. 'Dat mag je niet doen. Hij woonde hier!'

'Hij hoorde thuis bij de rivier,' zei Tom. 'Hij zal het meer naar zijn zin hebben...'

'Je hebt hem hier gebracht, waar hij altijd opgesloten moest zijn,' zei Babe. 'Hij kan niet in de stad leven. Hij doet mensen pijn.'

Tom zei: 'Er zal goed voor hem worden gezorgd.'

'Zoiets kun je niet doen!' brulde Salty.

'Ik heb het al gedaan. Het was die vrachtauto, die wegreed toen je thuiskwam.'

Hij draaide zich met een ruk om. Hij had Tolly zien wegvoeren en hij had het niet geweten. 'Waar?' vroeg hij gebiedend. 'Waar heb je hem heen gestuurd?'

'Dat zeg ik niet,' zei Tom.

Idalee sloop naar buiten en kwam naast hem staan. 'Ik heb het niet gedaan. Ik wilde dat hij bleef. Ik heb gezegd dat hij me geen pijn had gedaan.'

Zijn neus begon te prikken van tranen. 'Hou alsjeblieft je mond!' Hij rende om het huis heen en staarde de straat af waar de vrachtauto was verdwenen. Met achterin een kooi. Binnenin een kleine witte schim die wankelde wanneer de auto een hoek omging.

Idalee volgde hem. Hardy bleef achter haar staan. 'Salty, het is niet hun bedoeling je verdriet te doen. Dit is een moeilijk probleem waarvoor ze een oplossing moesten zoeken.'

Tom en Babe kwamen door het huis naar de voorveranda. 'Ik heb een afspraak met jullie gemaakt,' schreeuwde hij naar ze. 'Ik verdiende zijn onderhoud – ik heb het recht om over hem te beslissen.'

'Hier in huis is Tom degene die het recht heeft om te

beslissen,' hield Babe hem voor.

'Maar hij is mijn ganzerik. Je kunt niet iets weggeven dat niet van jou is, verdomme.'

'Let op je woorden,' zei Babe scherp en ze kreeg een kleur. 'Zolang je voor ons werkt zijn we verantwoordelijk voor je.'

'Babe,' smeekte Tom.

Salty liep de trap op en stelde zich voor haar op. 'En ík ben ook niet van jou, dikke madam.'

Babe haalde haar hand uit en sloeg hem op zijn mond.

'Laat dat!' beval Tom terwijl hij haar hand greep. 'Verdomme.'

Met versufte statigheid voelde Salty of zijn snor nog vast zat.

Ma verscheen achter de hor; haar gezicht was een verschrikte vlek. 'Salty,' riep ze, 'wat gebeurt daar toch?'

'Ga terug naar uw kamer,' schreeuwde Babe door de hor.

Een kille woede nam van hem bezit. 'Schreeuw niet tegen haar.' Hij probeerde zich langs Babe te dringen. 'Ma, ze hebben Tolly weggegeven. Dat betekent dat nu wij aan de beurt zijn.' Hij zag ma's knobbelige hand aan de veter trekken om haar gevallen stok op te halen.

'Het ligt aan mij,' zei ma. 'Ik ben de narigheid.'

'Nee! Dat bent u niet,' riep Salty. 'We hebben het recht hier te zijn.' Hij voelde dat Tom van achteren zijn armen pakte. Hij verstijfde en keek Babe in het gloeiende gezicht. Hij wist dat het moment was gekomen. Hij wist dat hij het kon. Hij duwde zijn gezicht vlak voor het hare. 'Ik heb je een paar dingen te vertellen.'

Op hetzelfde moment sleurde Tom hem van de veranda, zijn armen in een ijzeren greep klemmend die hem de adem benam. 'Nee,' waarschuwde Tom, 'je hebt haar niets te vertellen.'

'Salty.' Hardy stak zijn hand naar hem uit. 'Niet doen.'

'Ik doe het wel,' hijgde Salty en opnieuw werd zijn adem uit zijn lijf gerukt.

'Het is dus zo ver.' Tom trok hem opzij van het huis. 'Pak je boeltje. Je vertrekt.'

Salty draaide zich in Toms greep om en dreef zijn knie in

Toms kruis. Tom sloeg met een kreet dubbel en drukte zijn armen tegen de pijnlijke plek terwijl Salty's vuisten op zijn schouders beukten.

Hardy wrong Salty los en trok hem, bokkend, met zich mee naar de keuken. Hij drukte hem tegen de muur. 'Luister naar me,' zei hij. 'Salty, kijk me aan. Kom tot bedaren. Of ik geef je een pak rammel.'

De woorden waren vlijmscherp als een scheermes dat wonden maakte die hij niet voelde. Even later voelde hij ze wel. Zijn woede begon langzaam te zakken als water dat in een gat wegloopt. Hij hing met knikkende knieën tegen de muur.

'Kom, buiten gaat er een optocht beginnen en wij doen mee.' Hardy liet hem los en draaide zich om; hij gooide hun spullen in een van de gekke hoeden.

Salty's hand ging als een hefboom omhoog naar de ringen van Babe die op de kast lagen en stak ze in zijn zak. Ma en hij zouden geld nodig hebben om ergens te overnachten.

Hardy drukte de andere hoed op zijn hoofd en loodste Salty door de achtertuin naar buiten. Bij de steeg wendde hij hem stadwaarts.

De optocht was zich aan het formeren. Een open terrein was stampvol praalwagens en kinderen en auto's, volgeladen met mooie meisjes in fladderende jurken. De burgemeester zat op de bank van de Wickwirese brandweerauto naast de chauffeur. Hardy drukte Salty opnieuw tegen een muur. Hij bleef uitgeput staan.

Aan de overkant van de straat, in het park waar de optocht zou eindigen na de tocht door de stad, stond Feeney, met zijn lege hemdsmouw opgevouwen, donuts te bakken in een grote zwarte pan. Idalee verscheen aan Salty's zijde. Hij huiverde.

'Ik heb geld,' zei ze, precieus op haar blote tenen staand omdat het trottoir heet was. 'Ik kan een donut kopen.'

Salty likte zijn gezwollen lip. Zijn maag hunkerde naar de koude kip en de kwast die hij was misgelopen. Hardy tastte in zijn zak. 'Salty? Wil je er een?'

Salty schudde zijn hoofd. Zijn vingers gleden over de kleine bobbel die de ringen van Babe in zijn eigen zak maakten.

'Ik bedoelde dat we hem kunnen delen,' zei Idalee.

Hij wendde zich af.

Hardy zette een van de rode pruiken op Salty's hoofd. Hij voegde er de grote roze oren aan toe en zette de gekke hoed op Salty's hoofd. 'Ik kan hier niet aan meedoen,' zei Salty met matte stem.

'Dat kun je wel, verdomme. Je moet meelopen met iedere optocht die het leven je biedt.'

Ze wachtten in de smalle schaduw van de drogisterij. 'Ik moet Tolly zoeken,' zei Salty. Hardy staarde naar de lucht. Aan de andere kant van de stad schoot iemand een donderbus af die de honden aan het blaffen maakte. 'Ik moet. Ik wil niet zonder hem weggaan.'

In het park bungelde de vlag aan zijn mast boven de berg donuts van Feeney. Op het open terrein stonden de paarden te wachten voor de praalwagen van Stockmans Association. Ze sloegen met hun staarten, schudden geduldig hun hoofden en lieten donuts van mest vallen.

Salty raakte met rubberachtige vingers zijn zak aan. Door de hitte waren al zijn spieren gesmolten. Hij was veranderd. Hij was niet meer de persoon die Jo die morgen bij het afscheid in haar armen had genomen.

'Ik wil daar niet meer terug,' zei hij. 'Behalve dan om ma te halen.' Hardy tuurde naar de zon. 'Alleen weet ik niet waar we vannacht moeten slapen.'

Iemand gaf met een fluit het sein voor de optocht die zich in beweging zette langs Deaf Smith Street. Hardy pakte Salty bij de arm en duwde hem erin, achter een zwerm fietsen met crêpepapieren wielen.

Ze trokken door straten met namen van de helden van Alamo*, Bowie en Crockett en Travis, onder guirlandes van vlaggedoek. Het geschetter van de muziek deed Salty's borst trillen.

* Strijdtoneel, 1836, in de oorlog tussen Texas en Mexico

Toen de bomen van het park voor hen oprezen, viel het fanfarekorps uiteen in een slordige formatie naast een lage tribune voor de jury. Alle gekostumeerde kinderen verlieten daar de optocht om langs de jury te gaan.

'Ga daarheen,' zei Hardy. 'Wees de beste.' Hij gaf Salty een duwtje naar de tribune.

'Ik kan niet,' zei Salty ademloos, zich vastgrijpend aan een lantarenpaal. 'Blijf bij me. Ze zullen niet zien dat je boven de zestien bent.'

'Daar ben ik juist bang voor,' zei Hardy. Hij pakte de achterkant van een passerende praalwagen vast, waar Betsy Ross, die de eerste Amerikaanse vlag heeft gemaakt, met een pruik van watten op ijverig zat te naaien. 'Ik zie je wel weer verderop wanneer je met de eerste prijs te voorschijn komt.' Hij reed weg.

Salty haalde diep adem en voegde zich bij de rij van mededingers. Een prijs zou geld kunnen opbrengen voor een plek om de nacht door te brengen.

Uit zijn ooghoek ving hij een glimp van Tom op die zich snel door de menigte voortbewoog. Opeens drong Tom langs de rij toeschouwers naar het midden van de straat en Salty zag Idalee aan zijn mouw trekken en wijzen. Ze liepen met gespannen gezichten rakelings langs hem en haastten zich naar Hardy op de praalwagen. Een ogenblik zag hij dat Hardy zich voorover boog naar het gezicht van Tom dat boven de anderen uitstak. Toen onttrok de tribune van de jury hen aan het gezicht omdat ze het park in sloegen.

19

Salty dook achter de tribune, in een poging om ze tussen de vlaggen door in het oog te krijgen. Hij hoorde vaag dat iemand hem terugriep in de rij. Een ogenblik zag hij Tom en Idalee naast de praalwagen lopen.

Er was iets gebeurd. Er was iets mis. Salty haalde diep adem en wrong zich ongerust door de menigte die deinde aan de staart van de optocht.

Hij zag Betsy Ross verbaasd om zich heen kijken, maar Hardy was verdwenen. Toen zag hij ze allemaal, Hardy's rode pruik en grote oren ver voor Tom en Idalee uit. Tom moest er de draf in zetten om Hardy's arm te pakken en hem tegen te houden. Hardy rukte zich los en drong verder tegen de menigte in. Maar nu hield Tom hem bij; hij gebaarde druk en trachtte hem in zijn vaart te stuiten. Idalee volgde hen op de voet met Hardy's gekke hoed in haar hand.

Salty baande zich een weg naar Idalee. "Wat is er gebeurd?"

Tom draaide zich verbaasd om. 'Dit is persoonlijk. Schiet op, naar huis jullie.'

'Nee,' antwoordde Salty. Hij had Hardy's gezicht gezien; zijn snor was verdwenen en zijn opeengeklemde kaken waren zo hard als een aambeeld. Hij pakte Idalee beet. 'Wat is er gebeurd?'

'Nou, hij sprong uit de auto daar waar ze de straat hadden afgezet voor de optocht en zette het op een lopen en ik dus ook.'

Tom zei: 'Hardy, alsjeblieft. Hou op. Laten we in de auto gaan zitten en dit uitpraten.'

'Volg me niet langer,' zei Hardy. Hij draaide plotseling de bioscoop in, rakelings langs de portier, die zijn hand uitstak en Tom tegenhield.

'Ik haal hem wel,' zei Tom scherp. 'Laat me erdoor.' Hij drong zich erlangs, met Salty pal achter hem aan, terwijl de portier nog net Idalee bij de banden van haar overal kon vastgrijpen.

Tom en Salty stormden achter Hardy door de deur van de herentoiletten. Hij was in een van de hokjes. Tom probeerde de deur. Die was op het haakje gedaan.

'Hardy. Dit is gekkenwerk.'

'Laat me met rust,' zei Hardy.

Salty wachtte versuft, met volle teugen gedesinfecteerde lucht inademend. Als hij te weten wilde komen wat er aan de hand was, moest hij tegen Tom spreken. 'Wat is er gebeurd? Is iemand iets ergs overkomen?'

Alsof die nachtmerrieachtige scène over Tolly nooit had plaatsgevonden, zei Tom, 'Niet thuis, nee.' Hij keek om zich heen, maar er was niemand anders behalve zij drieën. 'De zuster van Rose Ann heeft opgebeld. Ze wil dat Hardy overkomt.'

'Is Rose Ann ziek?'

Toms ogen ontweken de zijne. 'Ze heeft zichzelf bezeerd.'

'Erg? Hoe is het met de boon?'

'De wat?' vroeg Tom. 'O, de...' Hij staarde naar de deur van het hokje, volgekrast met woorden, alsof een ervan kon uitleggen wat hij wilde weten.

In het hokje sloeg Hardy zo hard tegen de muur dat hij trilde. 'Verdomme, zeg het hem.'

'Nee,' zei Tom stug.

'Je bedoelt...' Salty verstijfde. 'Dat de boon dood is?' Hij wist niet hoe een baby, zo veilig opgeborgen, kon sterven of hoe iemand het kon beoordelen als het nog zo klein was. 'Weet je het zeker?'

'God,' zei Hardy in het hokje en ze zagen de muur opnieuw trillen toen zijn vuist ertegenaan sloeg en ze hoorden zijn adem schokken.

'Hardy,' zei Tom, 'het is mogelijk dat haar zuster voorbarige conclusies heeft getrokken. Het kan een ongeluk geweest zijn.'

Ze luisterden naar zijn ademhaling.

'Hardy, als Rose Ann het werkelijk heeft gedaan, dan weet je best dat ze dacht daar een goede reden voor te hebben.' Tom veegde zijn gezicht af. 'Om je tijd te geven. Of wat ook. Ze is zacht van aard, Hardy. Ze heeft vast gedacht dat dit was wat je wenste.'

De portier deed de deur open. Zijn haar was nog in de war van zijn worsteling met Idalee. 'Hoor eens, meneer, u moet kaartjes nemen – u allemaal – anders roep ik de bedrijfsleider.'

'Ga weg,' zei Tom. 'We komen wanneer we kunnen.'

'Nu,' zei de portier.

'Als je niet oppast, krijg je een pak rammel in het volgende hokje,' zei Tom, naar hem toe komend. De portier deinsde achteruit en trok de deur achter zich dicht.

'Wat heeft ze gedaan?' vroeg Salty. 'Wat heeft Rose Ann...'

'Ik wou, verdomme, dat je naar huis ging,' zei Tom. Salty zette zich schrap tegen de muur. Hij was niet van plan Hardy in de steek te laten. En hij had geen huis. Tom zuchtte en rammelde aan Hardy's deur. 'Hardy, geef haar een kans. Probeer je in te denken wat ervoor nodig was om zoiets te doen. Ze moet weten dat je het begrijpt.'

'Ik begrijp het niet,' zei Hardy.

'Hardy, ze ligt in het ziekenhuis. Weet je niet wat een dergelijke infectie kan betekenen? Je moet haar geruststellen. Doe iets. Nu.'

'Goeie God, wat?' Hardy's ademhaling werd luider en pompte als een machine. 'Ik was van plan van hem te houden. Wist ze dat niet? Kon ze er niet op vertrouwen dat ik een manier zou vinden om van hem te houden?'

Tom wendde zich vermoeid af en een ogenblik ontmoetten zijn ogen die van Salty in de spiegel.

Achter hen verscheen een nieuw gezicht, met zware vastbesloten kaken.

'Hardy,' zei Tom. 'Daar is de bedrijfsleider.'

De deur van het hokje ging langzaam open. Hardy kwam eruit met de rode pruik en de celluloid oren in zijn goede hand. Zijn echte gezicht zag er vreemd en ontdaan uit. Hij liep achter Tom de bioscoop uit, de straat op. Tom was in zijn haast een steeg in gereden om te parkeren. Idalee stond bij de auto. Salty liep haar voorbij en ging op de achterbank zitten.

Tom leunde tegen het spatbord. De auto stond met zijn neus tegen een bakstenen verbrandingsoven.* Mensen die nog vlug de optocht wilden halen, hadden ernaast en erachter geparkeerd. Ze zaten klem.

Hardy stapte in en veegde zijn gezicht af met de doek die Tom gebruikte om de zitplaatsen af te stoffen. Hij vouwde zich dubbel alsof hij moest overgeven. Idalee verwijderde zich teleurgesteld uit de steeg en ging naar huis.

'Je kunt bij de drogist opbellen,' zei Tom door Hardy's raam. 'Ze moet antwoord hebben, Hardy.'

'Ik heb geen antwoord.' Hardy haalde de platte, kleine flacon uit zijn achterzak en keek er een hele tijd naar. Langzaam nam hij een slok.

Tom zuchtte en gleed achter het stuur om uit de zon te zijn, die uiteenspatte tegen de blinde muren. 'Ze heeft jóú nodig, Hardy. Ze is je vrouw. Laat haar niet bedelen.'

In de stilte kwam een wesp naar binnen. Met zijn lange bungelende poten leek hij op een kind dat op zijn buik in een autoband ligt te schommelen. Hij liep over de voorruit om de vreemde, onzichtbare barrière te onderzoeken die hem verhinderde naar buiten te vliegen.

Tom schudde zijn hoofd. 'Men mag niemand laten bedelen,' zei hij en hij gaf het op.

Ze keken naar de wesp die omhoog klom. Het beestje zei 'Hmmm' met een kleine opflikkering van hoop en liep verder. Salty nam zijn pruik af en streek hem glad. Hij trok langzaam zijn snor los en ging met zijn tong over de lijmvlek.

Hij begreep niets van dit alles. Hij zag niet in hoe Rose Ann kon denken dat ze Hardy ertoe kon brengen haar weer lief te hebben door de boon dood te maken.

Maar hij bedacht dat hij drie uur geleden een poging had gedaan om het vertrouwen te doden dat Tom en Babe met

* Die zijn in Amerika nog wel in gebruik voor verbranding van het eigen huisvuil.

hun liefde in al die jaren van hun huwelijk hadden opgebouwd, omdat hij wilde dat Tom hem liefhad. En dat had ook geen zin.

Hardy gaf de flacon aan Tom. Tom keek even in de achteruitkijkspiegel en nam een klein slokje. 'Wat is dit? Stookolie?' Salty maakte uit zijn stem op dat ze niet meer zouden praten over wat er was gebeurd.

'Moonshine,' zei Hardy. Het was thuis gemaakte whisky. 'Je kunt geen Scotch verwachten voor een dollar de liter.'

'Ik ben niet gewend te drinken,' zei Tom zacht. 'Ik ben een karnemelkman.'

'Mensen zoals jij zorgen ervoor dat de Drooglegging een slechte naam heeft.' Met de geopende flacon in zijn hand staarde Hardy naar de gewitte muren.

'Mijn vader was predikant,' zei Tom. 'Dit is niet de geestrijke kracht waarin hij geloofde.'

Aan het eind van de steeg kwamen resten van de optocht voorbij. Auto's met serpentines. Een drijvende ballon. De brandweerauto die terugging naar zijn post.

'Ik heb niet aan zijn verwachtingen voldaan,' zei Tom bedachtzaam, terwijl Hardy's moonshine in botsing kwam met zijn lege maag. 'Ik had mijn eigen verwachtingen. Toen ik een kind was, was mijn grootvader burgemeester van Wickwire. Ik dacht dat ik later ook burgemeester zou worden. Ik dacht dat al dat respect en die eer aan de volgende generatie werd doorgegeven, zoals bij koningen.'

Hardy zei: 'Je hebt je aandeel daarin zelf verdiend.'

'Nee,' zei Tom en hij stak zijn hand weer uit naar de flacon. 'Ik heb me gewoon aan de regels gehouden. Ik heb me gewoon aan de regels van mijn vader gehouden. Zelfs toen hij was gestorven.' Salty keek naar zijn hoofd dat achterover ging toen hij dronk. Zijn haar was zo lang op een bepaalde manier gekamd, dat het niet meer het kruintje had dat het haar van kinderen heeft. 'Ik had ook willen sterven. Op een fatsoenlijke manier, in de oorlog. Maar dat is niet gelukt. Ik had ten minste mijn vrouw even trouw willen zijn als hij aan God was geweest.'

Er werd vuurwerk afgestoken. Knalpotten. Voetzoekers.

Zwaarklinkende, weerkaatsende uitbarstingen van feestvreugde.

'Maar dat ben ik niet geweest,' zei Tom. 'En toen wist ik dat mijn leven, met Salty erin, één lange leugen zou zijn.' Hij hield zijn holle hand tegen de voorruit. De wesp ging er behoedzaam naar toe, wendde zich af en kwam weer terug. Hij stapte op zijn vinger en liep door het veld van haartjes op de rug van Toms hand. Tom bewoog zijn hand naar het zijraam en de wesp sprong de zon tegemoet. 'Ik wist dat het weer zou zijn als een van die sombere ziekenhuizen. Zonder kans op genezing.'

'Tom, hij is geen gevaarlijke ziekte, hij is een zoon.'

'Ik kon hem geen zoon laten zijn. Een zoon had ik onderwijs moeten geven en discipline en waarden en een naam. Een kans op mij.'

Hardy zei: 'Maar toch, weet je dat ik onmiddellijk met je zou willen ruilen?'

'Ik moest er voortdurend aan denken. Daar in de bioscoop,' zei Tom zacht. 'Toen ik probeerde je tot andere gedachten te brengen. Rose Ann. Waarom ze die afschuwelijke keus had gedaan. Ik moest er voortdurend aan denken. Hoe anders. Hoe anders het geweest zou zijn als Dovie dat had gedaan.'

De praalwagens bliezen de aftocht. De boot van Washington dreef leeg op een kartonnen rivier langs de uitgang van de steeg. Weet je niet dat ik achterin zit? vroeg Salty bij zichzelf. Denk je er niet aan dat ik het ben over wie je praat?

Hardy bood de flacon aan. Tom schudde zijn hoofd. 'Ik heb al te veel op.'

'Ik nog niet genoeg,' zei Hardy en hij dronk.

'Ik moest er voortdurend aan denken,' zei Tom. 'Wanneer iemand van wie je houdt sterft en je kunt niet in tranen uitbarsten, niet diep bedroefd zijn omdat er een ander is. Alsof je verdrinkt. Langzaam. Je begrijpt me wel.'

Hardy knikte.

Salty voelde ze door de hitte afdrijven naar hun eigen verdriet. Tom naar de begrafenis die hij niet had bijgewoond omdat hij van Babe hield en Hardy naar Rose Ann die had gedacht dat hij geen vader wilde zijn.

'Ik heb dus niet eens behoorlijk gerouwd,' zei Tom. 'Tot nu toe. Ik heb nooit iets behoorlijk gedaan. Ik heb hem één keer opgezocht. Toen hij vijf jaar was.'

Hardy keerde zich op de voorbank om en keek naar Salty's handen die de gekrulde wollen pluizen van de pruik streelden. 'Wil je dat hij dit hoort, Tom?'

'Ik wil het vertellen,' zei Tom. 'Hij moet zelf weten of hij het horen wil.'

Hardy ging weer recht zitten. Ze keken alle drie naar de verbrandingsoven. Die leek op een rots waarop hun boot was vastgelopen. Een beetje grijze as woei er als een nevel vanaf.

'Ze was zo simpel,' zei Tom. 'Nee, ik bedoel niet...' hij veegde zijn ogen af. 'O, God, zo verrukkelijk simpel. Ze kwam terug in dat huis en verpleegde me en hield van Babe en glimlachte in die volmaakte stilte en vroeg niemand ooit iets.'

Hunkerend vroeg Salty in stilte: Kun je niet zeggen dat je naast mijn bed zat omdat ik had kunnen doodgaan en jij je dat aantrok?

'Kun je begrijpen hoe we met elkaar omgingen?' zei Tom. 'Ik heb haar nooit meer aangeraakt. We werkten samen in dat huis. De jaren gingen voorbij en ze heeft nooit íéts gevraagd. En ik heb nooit íéts gegeven.'

Salty stak zijn hoofd buiten het raam en ademde de asachtige lucht in. Iemand die van een praalwagen kwam liep de steeg in. Ze stelde het Vrijheidsbeeld voor en hield de toorts voorzichtig in haar arm. Hij wilde niet naar de schouders van Tom kijken die ineengekrompen waren alsof al die gespuide emotie ze tot nu toe in model had gehouden. De last waarvan Tom zich had ontdaan liet ook in hem een pijnlijke leegte achter. Hij vermoedde dat alles wat ter wereld kwam zo'n leegte achterliet.

'God,' zei Tom zacht. 'Waarom hebben we regels voor liefhebben? Voor líéfhebben, nota bene!'

Vrouwe Vrijheid stapte in de auto die naast hen geparkeerd stond en reed weg. Salty ging weer recht op de achterbank zitten. Ze konden nu vertrekken. Hij streek met zijn hand over de plaats waar Tolly het grijze hoopje had laten vallen, maar het was weg. Nu zijn wij aan de beurt. Pak je boeltje. Je vertrekt.

Hardy zei: 'Tom, denk je niet dat Babe het weet?'

'Nee.'

'Ik begrijp niet hoe een vrouw met een man kan leven en zo iets belangrijks niet kan weten.'

'Zij kan het.' Tom startte de motor. 'Een vrouw heeft met jou geleefd,' zei hij, 'en gedacht dat je haar opdroeg de wereld terug te brengen in de vorm die jou beviel.'

In de straat achter hen ontplofte een donderbus. De knal weerkaatste tegen de muren van de steeg. Tom manoeuvreerde de auto voor- en achteruit tot hij in de open plek kon komen en wegrijden.

Hardy boog tot op zijn knieën voorover. Salty zag het patroon van de stoelbekleding op de natte, donkere rug van zijn hemd. 'Wacht even,' zei Hardy. Tom stopte. Hardy stapte uit en hield zich aan de verbrandingsoven vast. Ze luisterden naar zijn kokhalzen. Tom gaf Salty de stofdoek aan. Salty stapte uit en wachtte tot Hardy zich met een kleur als cement oprichtte en hem toelachte. Ze stapten weer in en sloegen de hoek om naar de straat.

'Zet me bij het station af,' zei Hardy.

Tom sloeg een straat in die evenwijdig liep aan de spoorbaan. 'Heb je geen kleren nodig?'

'Ik weet niet wat ik nodig heb,' zei Hardy onzeker. 'Tijd. Schoon ondergoed. Genade. Tien meter van Babes gebedsketen.'

Tom stopte voor het station, zoals hij die morgen had gedaan. Hij strekte zijn ene been en haalde alles wat hij had uit het onderste van zijn zak. Zonder het te tellen zei hij: 'Als dit niet genoeg is, kun je de auto nemen.'

Hardy telde de bankbiljetten en het kleine geld. 'Het is genoeg, Tom.' Hij stapte uit en keek net zo als toen hij na zijn val de eerste keer het dak op ging. Hij stak zijn hoofd naar binnen en pakte Toms uitgestoken hand.

'Zeg tegen Rose Ann dat we van haar houden,' zei Tom.

Hardy knikte. Hij leunde door de achterdeur naar binnen en gaf Salty's arm een duwtje.

'Kom je weer terug?' vroeg Salty angstig.

Hardy ontweek zijn blik en keek naar de pruiken en de onderdelen van kostuums. 'Doe dat allemaal weer in de oude toverkoffer. Okiedo? Voor de volgende keer.'

'We hebben het vuurwerk nog niet gedaan,' zei Salty om hem vast te houden.

'Nee, maar verder hebben we vandaag alles gedaan wat maar godsmogelijk was.' Hij zette zijn acteurslach op en draaide zich om.

Tom ging huiswaarts. Strepen van schaduw en late middagzon liepen omhoog over de voorkant van de auto en weer omlaag over de achterkant naar de straat. Ze verblindden Salty's ogen.

Er stond een auto voor het huis geparkeerd. Uit de manier waarop Toms blik van de auto naar de voordeur schoot maakte Salty op dat hij van de man was die eventueel de Buckley Arms zou kopen.

Tom stopte onder de bomen van de inrit en wreef over zijn voorhoofd. Hij zei: 'Salty, ik heb het verkeerd gedaan. Zoals ik het probleem van je ganzerik heb aangepakt. Ik had het je moeten zeggen. Het met je uit moeten praten. Van tevoren. Ik heb je niet vertrouwd. Ik denk dat je zelf de juiste beslissing had kunnen nemen. Als ik een juist begin had gemaakt.'

Hij wist niet wat hij moest antwoorden. Hij wist niet eens of een antwoord mogelijk was. Hij bewoog zijn lippen om te zien of ze werkten.

'We hebben alle twee dingen in woede gezegd,' zei Tom; hij draaide zich half om naar de achterbank, maar hij keek intussen naar de veranda waar Babe naast een man stond. 'Ik wil niet dat je vertrekt. Ik meende niet wat ik zei. Je dreef me ertoe het te zeggen, net zoals ik jou ertoe dreef te beginnen met alles aan Babe te vertellen. Kunnen we ons niet aan de afspraak houden? Het is een slechte afspraak. Maar toch?'

Salty likte zijn lip. Er was te veel gebeurd. Zijn gevoelens waren als asfalt waarin hij zich niet kon bewegen.

Babe kwam de trap van de veranda af. De zon scheen op haar bezorgde gezicht dat vragend naar Tom opgeheven was. Hij stapte uit en ging naar haar toe. Ze gingen de trap op naar de man die in de gespikkelde schaduw van de wingerd stond te wachten. Salty rolde zich stijf in de hoek van de auto op. Hij wist dat hij moest uitstappen. Hij moest verder. Zoals Hardy. Zoals Jo.

Hij schrok op toen hij de man de trap af zag komen en in zijn auto stappen. Tom luisterde naar Babe die eerst in de ene richting en toen in de andere wees. Tom kwam de trap af en knikte. Ze volgde hem in de tuin en keek de man na die wegreed. Even voordat ze haar hand ophief om boven haar ogen te houden, zag Salty dat ze huilde.

Tom opende de achterdeur van de auto. 'Kom voorin zitten,' zei hij tegen Salty. Hij reed achteruit de straat op.

'Wat...' probeerde Salty te vragen.

'Kort nadat je naar de optocht was vertrokken is je ma de tuin in gegaan. We dachten dat ze een beetje wilde rondwandelen.'

'Wat bedoel je? Waar is ze heen gegaan?'

'Dat is het nu juist. Toen de zuster van Rose Ann belde en die hele toestand begon, dacht niemand er meer aan...'

'Bedoel je dat ze zoek is? Is ze niet thuisgekomen?'

'Babe heeft de Eversoles overal laten zoeken en ze is het hele huizenblok afgegaan om te vragen. Maar...'

In de lange schaduwen keek Salty naar haar uit in alle straten waar ze zou kunnen zijn. 'Wist ze zeker dat ma niet weer naar binnen is gegaan en op een ongewone plaats is gaan slapen of zoiets?' Hij begon te sidderen van ongerustheid.

'Ze heeft het hele huis en het erf uitgekamd. Ma is weg. Nu, denk na. Waarheen?'

'Naar de rivier,' zei Salty. Hij zag haar gezicht weer voor zich toen ze die ochtend Jo losliet. *Ik zal je nooit meer zien.*

'O, God,' zei Tom. 'Dat niet. Het is omgeploegd. Het huis is weg. Alles.'

Hij reed zo snel een hoek om dat ze op de bank opzij gleden.

'Ze zou toch niet zijn gaan lopen?' zei Tom.

'Ze zou proberen iemand te vinden om haar mee te nemen. Dat deden we vroeger, wanneer ze naar de stad moest. Dan reden we met iemand mee.'

Ze raasden de laatste huizen voorbij en trachtten het lint van de weg in te halen dat zich voor hen ontrolde. Salty's ogen doorzochten ieder kruispunt waar ze per vergissing kon zijn afgedwaald of zijn afgezet door iemand die een andere kant op moest.

'Ze wilde niet tot last zijn,' zei hij wanhopig.

Ze passeerden de plek waar Tom de kleine papieren knikker van het briefje van zijn mamma in het gras langs de weg had gemikt. 'Het spijt me,' zei Tom. 'We zullen haar wel vinden. Heus.'

Salty kneep zijn handen fijn tussen zijn knieën. Hij moest haar vinden. Toen hij klein was, had ze hem nooit, geen enkele keer laten verdwalen.

Ze hobbelden langs een korenveld. Het koren was gemaaid. De stoppels leken op de rechtop staande haren van een angstig dier. Tom stopte de auto. Salty zat met stomheid geslagen. Het huis was weggehaald. Of gebulldozerd en verbrand. De hardaangestampte grond waar hun huis had gestaan was een omgeploegde akker.

Salty stapte uit en stoof als een kip zonder kop van het ene hoge punt naar het andere om uit te kijken. Hij bedacht hoe ze eens op het erf was gevallen en hoe klein ze zou zijn in die enorme, onherbergzame ruimte als dat weer was gebeurd.

Toen hij buiten adem was, ging hij zitten; hij sloeg zijn armen om zijn borst als om een bundeltje dat gered was van een schipbreuk. Muggen vonden zijn gezicht en dansten en zoemden terwijl hij zat te hijgen.

Tom strompelde door het geploegde veld. Hij riep. Het geluid weerkaatste langs de oevers en schrikte de slapende vogels op.

Wat zou ze doen? Als ze het veld had gezien waar het huis had gestaan? Gewoon gaan zitten? Huilen? Doodgaan?

Tom riep: 'Salty. Ik zie sporen.'

Salty rende erheen. 'Nee,' zei hij. 'Dat zijn sporen van kinderen. Ver van elkaar.' Hij zuchtte teleurgesteld.

Tom waadde door een ondiep zijstroompje van de rivier en klom op een zandheuveltje om rond te kijken. Vervolgens liep hij roepend en hoestend door krakende distels naar de waterkant.

'Laat mij maar roepen,' zei Salty.

Tom draaide zich om, keek hem aan en kwam baggerend tot aan zijn knieën in een poel terecht. Zonder te denken deed Salty een stap in zijn richting om hem te helpen. Tom trok zich op het droge en hield daarbij zijn kruis vast waar Salty hem met zijn knie had geraakt. Een beetje hinkend in zijn modderige laarzen liep hij verder.

'Ze is hier niet,' zei Salty achter hem. 'Ze is gewoon niet zo ver gekomen.'

Tom keek rond. De wind was afgenomen tot de stilte van de schemering. Hij mepte naar iets op zijn nek. 'En als ze dat nu eens wel heeft gedaan?'

Als door een zweepslag getroffen hield Salty zijn adem in, misselijk van twijfel. Hij blies zijn adem uit. 'Ga jij weer in het veld zoeken. Ik zal gaan zoeken bij het vat onder de bron. Daarna gaan we naar huis. Goed?'

Tom knikte en klom langs de gebrokkelde randen van de rivier naar boven.

Salty werkte zich door verwarde ranken van wijnstokken heen en rende over de zandheuvels; hij liep gebukt om iedere beweging tegen het rookblauwe late licht van de hemel te kunnen zien. En als ze nu weggingen en zij nog ergens buiten was? En als ze bleven zoeken en zij in de schemering op een andere weg was en met haar kleine strompelpasjes uit zijn leven wegliep?

Hij viel over de draden van een verzakte omheining en sloeg met zijn handen in de muffe aarde. Hij bleef hijgend liggen en schraapte de muggen van zijn armen. Ze had zo vaak voor hem gebeden en hij wist niet wat hij ten behoeve van haar moest zeggen. Hij stond op en rende weer door de koele veranderende luchtlagen. Hij rende haast het vat voorbij. Hij stopte, riep en wachtte. Slechts zijn ademhaling verbrak de stilte. De zware geur van weelderig leven en verrotting hing boven de bron.

Hij liep met grote passen over het pad naar het vlakke veld. Hij zag de auto. Hij zag Tom er met ma naar toe lopen.

Zelfs in de vallende duisternis kon hij onderscheiden dat Tom haar bijna droeg. Ze liep anders dan anders. Hij rende over de aardkluiten naar ze toe en pakte haar hand. Haar gewicht zakte tegen hem aan.

'Ma?' vroeg hij. 'Ma?'

'Kalm aan,' zei Tom. Hij had haar stok in zijn hand.

Salty hoorde een doffe, zware ademhaling uit haar borst komen. Haar vingers, die altijd de zijne ter verwelkoming hadden gedrukt, maakten bevende, draaiende bewegingen als een lang, onbekend woord in vingertaal.

20

Salty werd er koud van. 'Ma. Wat is er?' Hij voelde dat ze veranderd, vreemd was.

'De voorbank,' zei Tom. 'Tussen ons in.'

Door haar langzaam mee te tronen en haar handen vast te houden slaagden ze erin haar in de auto te zetten. Salty ging naast haar zitten.

'Salty,' zei Tom voorzichtig. 'Ik denk dat ze een kleine beroerte heeft gehad of zoiets. Ze weet niet precies wat er aan de hand is.'

'Wat is een beroerte? Ziek? Heeft ze niet een dokter nodig?' Hij pakte haar hand die nog steeds dat zwijgende woord sprak. Die hand sloot zich om de zijne op de oude, geruststellende manier. 'Ze weet wie ik ben. Zie je wel? U kent me, ma. We gaan naar huis.'

Hij begon te beven toen hij besefte dat het maar een haar had gescheeld of ze hadden haar daar buiten gelaten.

'Het wordt eindelijk donker,' zei ma, vlug en onduidelijk sprekend.

Hij herademde. 'Ja, dat is zo. Het wordt eindelijk donker – daarom gaan we hier weg.' Hij zei maar wat om het contact tussen hen gaande te houden. Maar ze wendde zwijgend het hoofd af.

Tom startte de auto. 'Ik zal zorgen dat ze zo snel mogelijk thuis komt. Stel haar gerust. Laat haar rusten.'

Hij maakte een slinger door het stoppelveld die hen uit hun evenwicht schoof. Salty zette zich schrap tegen ma's glijdend gewicht. Haar hijgende adem rook onfris. Hij hield haar hand zo stevig vast dat ze hem wel moest kennen en weer bij moest komen en beter worden.

'Ze stond aan de rand van het veld,' zei Tom. 'In die holle eik. Net als een tweede boom.'

Salty bracht zijn mond ertoe te zeggen: 'Dank je wel.'

Ze hotsten naar de gewone weg. Ma zuchtte en leek te

slapen; haar hoofd rustte scheef tegen de rugleuning. Toen kneep ze opnieuw in Salty's handen en ze keek om zich heen. 'Wat is er?' vroeg ze. 'Wat?'

'We gaan naar huis,' zei hij zacht. 'Lekker bed. Lekker uitrusten. U bent weer bij ons.'

Ze knikte en sliep tegen zijn schouder, terwijl ze zijn handen zo stijf vasthield dat hij zijn tranen liet lopen en van zijn kin liet vallen zonder ze af te vegen.

'Waarom heeft ze dit gedaan?' fluisterde hij. 'Wist ze niet dat ik voor haar zou zorgen, zoals zij voor mij heeft gezorgd?'

'Salty. Dat is niet een belofte die je kunt houden,' zei Tom vermoeid. 'Je moet je eigen leven leiden.'

Hij probeerde onder het geraas van de auto het geluid van haar ademhaling de onderscheiden en hij bedacht wat een wonder het was, die motor die zo lang binnen in haar had gelopen zonder ooit te stoppen om uit te rusten.

'Salty, je moet realistisch zijn. Het kan zo ver met haar komen dat ze lijkt op een baby. Dat ze niet eens meer weet wie je bent.'

'Maar ik weet wie zij is,' zei Salty. Hij voelde zich machteloos. Hij wist dat hij het niet alleen afkon. 'Iemand die van haar houdt moet voor haar zorgen.' Maar hij wist dat iemand anders nog iets veel edelmoedigers zou moeten doen. Haar helpen zonder ertoe verplicht te zijn. Zonder de liefde.

Ze zagen boven de stad donderkoppen die stil verlicht werden, de witte, geluidloze explosie van het grootste vuurwerk dat ooit was gemaakt.

'Je moet goed begrijpen,' zei Tom met moeite, 'dat ze bij ons mag wonen. Ik wil dat je haar dat aan het verstand brengt. Het uitlegt. Ze hoeft dit nooit meer te doen.'

'En die man dan?' vroeg Salty. 'Die er was toen wij er aankwamen?'

'Ik heb hem afgepoeierd,' zei Tom. 'Ik heb gezegd dat we op het plan om te verkopen zijn teruggekomen.'

Salty voelde zijn hart opspringen van hoop en dankbaarheid. Maar hij dacht aan Babe die haar leven had omgeschakeld omdat hij was verschenen en gezegd had: Hier zijn we. 'Je hoeft er niet op terug te komen.'

'Ja,' zei Tom. 'Mijn besluit staat vast.' Hij wierp een blik op het scheefgezakte gezicht van ma en Salty wist dat hij dacht aan degenen die voor hem hadden gezorgd en aan hen die dat te zijner tijd weer zouden moeten doen.

'En Tolly?' vroeg hij.

Ver voor hen uit, bij een boerderij, ging een vuurpijl de lucht in. Gekleurde ballen, blauw, rood en groen, trokken een boog en vielen dovend omlaag. 'Nee,' zei Tom. 'Dat gaat niet. Jij en ma. Tolly niet.'

'Mag ik hem nooit meer zien?'

'Later. Dan kun je hem opzoeken. Nu nog niet.'

Salty hield zijn kin vast om te verhinderen dat het trillen zijn stem zou doen beven. 'Maar hij zal het niet begrijpen. Hij zal denken dat ik hem weg heb gestuurd en niet van hem houd.'

'Ganzen zijn geen mensen,' zei Tom.

'Ze hebben gevoelens,' zei Salty. 'Hij houdt van me.'

'Dan zal hij voortaan op goed vertrouwen van je moeten houden. Zoals mensen wanneer die het elkaar niet kunnen zeggen.'

Er kwam hun een auto tegemoet. Salty zag hoe de koplampen het gezicht van Tom een ogenblik uit het donker lichtten en het weer lieten vallen. 'Zoals wij?' vroeg hij.

'Ja,' zei Tom.

Voor hen, in de stad, stak iemand die niet langer kon wachten een vuurpijl af. De asdeeltjes van het licht vielen omlaag als de zilveren sterren die op Jo's haar waren gedwarreld. Salty vouwde zijn armen over de plek die knaagde en hunkerde naar alles wat hij had verloren.

'Hou je van me?' vroeg hij aan Tom.

'Ja. Je weet best dat ik van je houd.'

'Maar je houdt meer van Babe.'

'Ik hield van haar het eerst.' Tom keek door het raam naar de schaduwen van Mount Zion toen ze erlangs reden en daarna weer recht voor zich uit. 'Ik heb mijn leven met haar gedeeld. Ik ben haar meer verschuldigd. Ik heb beloofd haar in ere te houden.'

'Maar dat heb je niet gedaan.'

'Daarom maak ik het nu goed,' zei Tom.

Ze reden zwijgend door de buitenkant van de stad naar de drukke straten waar de rotjes knalden. Rookbommen zwollen op, stegen omhoog en onthulden als in een goocheltruc lachende jongens met smeulende lontstokken.

Ze sloegen een zijstraat van Main Street in, richting Buckley Arms. Tom reed zo ver mogelijk door naar de voordeur en ze hielpen ma over het gras en de trap op, zwoegend als de gewonde soldaten op Toms stereoscopische foto's.

Babe deed de hor van de deur open. 'O, nee,' mompelde ze. 'O, Tom.' Ze liep voor hen uit om het licht in ma's kamer aan te doen en het bed open te slaan. Ze zetten ma op de rand van het bed. Salty probeerde haar de stok in haar hand te geven, maar ze keek er alleen maar verbaasd naar.

'Water,' fluisterde ze. 'Voor.' Een geluid stierf weg. Salty spurtte de kamer uit om het te halen. Maar toen hij terugkwam, lag ze opgerold op haar zij in bed, wegzinkend in slaap. 'Grabbelen. Naar. Terwijl hij toekeek.'

'Noten,' zei Salty, 'aan de oever van de Trinity.'

'Alford,' fluisterde ze. Ze viel in slaap. Hij keek naar haar gezicht. Hij had altijd gedacht dat haat haar herinnering aan die tijd levend hield, maar nu zag hij aan haar glimlach dat het de opzichter was die ze niet kon vergeten. Waar ze nog steeds over peinsde was de uitschieter van goedheid in de ellende van die tijd.

Tom wenkte hem de kamer uit. Babe trok ma's schoenen uit en dekte haar met de sprei toe. Ze volgde hen en deed het licht uit.

'Wat vind je van haar?' vroeg Salty.

'Ze kan morgen weer de oude zijn,' zei Tom. 'Als ze hier wakker wordt, waar jij bent en haar spullen zijn...' Hij zweeg en keek Babe aan.

Haar gezicht was mat, vermoeid van al het zoeken dat ze had gedaan.

'Ze is taai,' vervolgde Tom. 'Die dingen genezen soms. Maar niet voor altijd, Salty.'

Hij knikte. Hij wist wat Tom wilde zeggen. Ze zou niet altijd blijven leven, dat kon niemand. En daarna zou er ook geen Alford meer zijn of notebomen of een goede opzichter, behalve in zijn hoofd.

'Je kunt beter vannacht in haar kamer slapen,' zei Tom. 'Voor het geval ze iets nodig heeft.'

Babe zei: 'Een jongen kan daar niet voor wakker worden. Dat zal ik wel doen.'

Tom keek haar strak aan. 'Dat neemt niet weg dat Salty beter kan verhuizen naar het kamertje naast haar. Ik bedoel voorgoed. Op die manier zullen hij en ik beiden bij de hand zijn om je te helpen.'

Babe ontweek Salty's blik en knikte. Hij vroeg zich af of haar de woorden het spijt me zouden ontvallen als hun blikken elkaar kruisten. Plotseling herinnerde hij zich iets. Hij dook in zijn zak en hield haar ringen in zijn uitgestrekte hand. Ze deinsde ervoor achteruit alsof ze kropen.

Tom pakte ze en deed ze langzaam aan haar vingers, met bevende handen, als de jonge mannen in liefdesfilms. Hij sloeg zijn armen om haar heen en drukte zijn mond op de hare met een stevige, lange kus die aan alles voorbijging, terug naar zoals ze waren begonnen en hadden willen zijn.

Salty wendde zich af. Toen hij bij de deur was, zei Babe zacht: 'Heb je honger?' Hij keek rond om te zien wie ze bedoelde en ze keek naar hem.

'Ja, mevrouw,' zei hij.

Ze glimlachte. 'Ik zal wat klaarzetten.'

Salty liep door de gang naar de voorveranda. Hij hief zijn gezicht op naar de donkere nachtwind die ergens van een onweer vandaan kwam, bezwangerd met alles waar hij langs was gestreken en wat hij had meegevoerd: stof van de velden, geur van bloemen, de adem van slapende mensen.

Zijn teen stootte tegen de doos met vuurwerk die iemand bij de deur had gezet. Hij bukte. De lucifers waren er nog en de lontstokken waarmee Hardy en hij wonderen ontstoken zouden hebben. Er bewoog iets wits op de schommel.

'Klaar?' zei Idalee.

Hij was te uitgeput om te begrijpen wat ze vroeg.

'We hebben nog geen vuurwerk afgestoken.' Haar ronde gezicht keek hoopvol in het donker omhoog.

'Hardy is er niet meer,' zei hij.

'Nou, wij zijn er toch.'

Hij zuchtte gelaten en pakte de doos op. Ze liepen om het huis om een open plek te zoeken. De bomen vormden boven hun hoofd een gesloten bladerdak. Salty bleef staan bij de ladder die Hardy die morgen had gebruikt. Hij klemde de doos onder zijn arm en klom langzaam naar boven. Hij kon in het verlichte kamertje naast ma kijken waar Babe de sprei opvouwde. Hij klom erlangs, verder omhoog en legde de doos op het dak. Hij voelde de ladder licht trillen toen Idalee sport voor sport volgde.

'Je ouders zullen je villen,' zei hij toen ze eenmaal zaten, met hun handen plat op de nog warme dakspanen. Ze haalde een Romeinse kaars uit de doos. 'En mij ook. Omdat ik je hier heb laten komen.' Hij zocht nog een Romeinse kaars voor zichzelf en stak ze alle twee aan. Ze richtten de lange kokers op de sterren. Kleine kanonskogels van licht schoten omhoog.

'O,' zuchtte ze bij iedere kleur. 'O, Salty. Moet je kijken.'

Ze schoten twee Dansende Derwisjen af die rondtolden met gouden vonken. Toen twee rookbommen op het zink van de goot. Hij zei: 'Ik ga de rest bewaren. Voor als Hardy komt.'

Ze gingen op hun rug liggen en keken naar de hemel. Salty's tenen tintelden bij de gedachte aan de rand van het dak, de val in de ruimte. Hij vroeg zich af of daarginds in de sterrenhemel de donkere wolk van slechte tijden zich samenpakte, zoals Rose Ann had gedroomd.

Na een poosje vroeg ze de hemel: 'Salty, vind je me aardig?'

Hij verweerde zich zwakjes tegen de vraag. Wie kon nu iemand van tegen de tien aardig vinden? 'Ik ken je helemaal niet.'

'Moet je daarvoor dan iemand kennen?'

'Ja,' zei hij, denkend aan Tom en de jaren die ze hadden gemist.

'Maar ik vind jou nu al aardig,' zei ze. 'Gewoon omdat ik het wil.'

Hij begreep niet hoe zoiets kon. Maar hij had gezien dat Jo al van Micah hield nog voordat hij was geboren, hoe hij ook zou uitvallen.

'Zou je het willen proberen?'

'Hoe?'

'Je begint gewoon. Zou je dat willen?'

Hij trok zich langzaam op zijn ellebogen op en knikte. Maar hij dacht aan Tom en aan alle dingen die mogelijk waren, zelfs nu. Zelfs nog.

Er ging licht aan in het huis van de Eversoles.

'O, jé,' zei Idalee. 'Dat is mijn kamer.'

Ze verdween langs de ladder. Hij zag de witte vlek toen ze de straat over vloog en door de voordeur naar binnen ging. Ze zou ervan langs krijgen, vermoedde hij. Hij hoopte dat wat ze gedaan hadden tegen de gevolgen opwoog en dat haar vader geen nieuwe haarborstel had.

Hij had haar geen sterretjes laten afsteken. Hij wou dat hij het wel had gedaan en hij bleef met zijn armen om zijn schenen geslagen zitten totdat het licht in haar kamer uitging.

Hij keek om zich heen. Hij vermoedde dat hij hier heel wat keren zou komen om het dak te repareren.

Hij haalde zijn lontstok tussen zijn knieën vandaan en hield hem tegen een Sfinx. Een vlam, groen als de liefde, steeg op en barstte uiteen in vonken, sneeuw, ganzedons, tranen – hij wist niet precies wat. Maar het was voor alles wat van hem was, ergens ver weg.

Hij deed vlug een greep in de doos en hield zijn lont tegen een sterretje. Het met een grijs laagje bedekte ijzerdraad flikkerde en doofde uit, niet bij machte vlam te vatten. Toen barstten er ineens uit het grijs vonken los die rondvlogen en heet waren tegen zijn huid. Hij stond op, zodat Idalee het uit haar raam kon zien en dirigeerde een orkest van schoorstenen. Hij trok een grote tovercirkel boven de Buckley Arms en schreef zijn naam met licht.

K. M. Peyton *Voor galg en rad.* Patrick Penningtons laatste schooljaar, 176 blz.

Patrick Pennington, alias Penn, is het zorgenkind van de eindexamenklas. Niet zozeer wegens gebrek aan intelligentie. Maar vanwege voortdurende strubbelingen met leraren en andere gezagsdragers, pure kwajongensstreken–en vaak net iets meer dan dat. Van de 'heren' aan wie zijn 'opvoeding' is toevertrouwd hebben er eigenlijk maar twee een goed woord voor hem over: de gymnastiekleraar die in Penn een zekere eerste prijs ziet bij het wedstrijdzwemmen. En de muziekleraar die zijn jarenlange vruchteloze zorgen eindelijk beloond ziet in dit bijzondere talent: Penn maakt grote kansen bij een pianistenconcours in de komende zomer.

K. M. Peyton *Achter slot en grendel.* Patrick Penningtons eerste concert, 156 blz.

Penn heeft, eindelijk bevrijd van school, een baantje als broodbezorger aangenomen. Sindsdien heeft Ruth Hollis het grasveld voor haar huis finaal kaal gemaaid, om Penn toch vooral niet op zijn dagelijkse route te missen. Haar moeder is het absoluut niet eens met die plotselinge bevlieging van haar dochter: 'Er zijn zoveel aardige, rústige jongens met wie je zou kunnen uitgaan!'

Maar Ruth zet door en wordt zo de steun en toeverlaat van de stuurse en grillige, maar begaafde pianist-in-spe. Penn groeit uit tot een heuse pianist. Ruth leeft intens mee naar zijn hoogtijdag: het eerste concert. Maar ze beleeft ook de zwartste dag van zijn leven: de onvoorwaardelijke veroordeling tot gevangenisstraf vanwege het molesteren van een politieagent.

K. M. Peyton *Voor hete vuren.* Patrick Pennington op weg naar succes, 192 blz.

Voor hete vuren opent met Penns ontslag uit de gevangenis, als zijn zelfvertrouwen een flinke knauw heeft gehad en zijn zorgen over zijn financiële eigen positie en die van Ruth hem danig benauwen. Zijn vriendin en de trouwe – maar strenge – professor Hampton doen hun best hem weer in beweging te krijgen, maar Penn houdt er niet zo van als anderen over zijn leven proberen te beslissen...

Alison Prince *Laat zu maar praten,* geb., 176 blz.

Kate is een echt grotestadskind. Ze woont sinds de scheiding van haar ouders bij haar moeder, een actrice-die-het-wel-aardig-doet. Kate freewheelt maar zo'n beetje, nog niet zo zeker ervan wat ze nu met het leven aanmoet. Eigenlijk is het enige écht volwassen element in haar leven haar verhouding met de verfijnde kunstminnaar Laurie, én sinds kort de wetenschap dat ze zwanger is...

Kates moeder heeft het druk met haar carrière. Laurie heeft het druk met de brokken van zijn huwelijk. Kates vader zit in Australië. Al met al toch niet helemaal de ideale toestand om een kind te verwachten. En toch wil Kate het kind houden...